As 4+1 Condições da Análise

Antonio Quinet

As 4+1 Condições da Análise

23ª reimpressão

ZAHAR

Capa
Carol Sá
Sérgio Campante

CIP-Brasil. Catalogação-na-fonte
Sindicato Nacional dos Editores de Livros, RJ

Q64p Quinet, Antonio, 1951-
As 4+1 condições da análise / Antonio Quinet. — 1ª ed. — Rio de Janeiro: Zahar, 1991.

Inclui bibliografia
ISBN 978-85-7110-188-3

1. Psicanálise. I. Título.

07-2922 CDD: 616.8917
CDU: 159.964.2

EDITORA SCHWARCZ S.A.
Praça Floriano, 19, sala 3001 — Cinelândia
20031-050 — Rio de Janeiro — RJ
Telefone: (21) 3993-7510
www.companhiadasletras.com.br
www.blogdacompanhia.com.br
facebook.com/editorazahar
instagram.com/editorazahar
twitter.com/editorazahar

Sumário

Introdução

Cada cosa (la luna del espejo, digamos) era infinitas cosas, porque yo claramente la veía desde todos los puntos del universo. Vi la tarde, vi las muchedumbres de América, vi una platada talerãna en el centro de una negra pirámide, vi un laberinto roto...

El Aleph, *Borges*

No princípio da psicanálise era o ato — o ato inaugural de Freud ao inventar a psicanálise abrindo o inconsciente à sua formalização. Ato que marca um antes e um depois, que traz em si a descontinuidade e como tal tem a estrutura de corte. Ato fundador que se renova em cada psicanálise, tendo Freud nos legado a incumbência de reinventá-la a cada vez que, como psicanalistas, autorizamos o começo de uma análise.

Dar início a uma psicanálise, a partir da demanda de alguém, depende do psicanalista com seu ato de decisão. Mas o que fundamenta essa experiência? Será apenas o dispositivo técnico inventado por Freud? Sabemos que há aqueles para quem a resposta é evidente: ao dispositivo freudiano cujo cerne irredutível é a associação livre deve-se acrescentar o "contrato" que fixa o chamado *setting* analítico determinando o tempo das sessões, sua freqüência, etc., que seria a garantia de seu bom andamento. Qualquer pequena modificação nesse registro é suposta como fatalmente ameaçadora para a própria experiência psicanalítica. Daí a sociedade psicanalítica do tipo ipeísta (da IPA — International Psycho-analytical Association) instituir-se como um Outro do analista que supostamente garante a execução de sua prática por intermédio de imposição de regras que devem ser cumpridas e propostas por meio de um contrato aos analisantes.

Mas como podemos propor ao analisante uma espécie de concretização do Outro, sabendo que numa análise conduzida a seu término, o sujeito é levado a se confrontar com a falta do Outro [S(Ⱥ)] justamente porque o Outro falta? No lugar das normas que o dito contrato que pretende figurar o Outro estabelece, Lacan introduz o conceito de *ato psicanalítico*, retirando assim a psicanálise do âmbito das regras para situá-la na esfera da ética. É o analista com seu ato que dá existência ao inconsciente, promovendo a psicanálise no particular de cada caso. Autorizar o início de uma análise é um ato psicanalítico — eis a condição do inconsciente cujo estatuto não é, portanto, ôntico, mas ético, pois depende desse ato do analista. O conceito de ato analítico desvela que o dito "contrato" do início da análise exime o analista da responsabilidade de seu ato — trata-se de um contra-ato.

Meu propósito é interrogar neste livro o conjunto de "normas" que se convencionou chamar de *setting* analítico, a partir do texto de Freud "O início do tratamento", onde as encontramos sob a designação de *condições*.

Esse texto de Freud foi publicado inicialmente no *Internationale Zeitschrift für Psychoanalyse* em duas partes: a primeira, em janeiro de 1913, intitulada "Novas observações sobre a técnica da psicanálise: I. O início do tratamento"; a segunda, em março, com o mesmo título seguido de "A questão das primeiras comunicações — A dinâmica da transferência". O presente livro centra-se sobretudo na primeira parte do referido texto freudiano, cujas partes foram em seguida reunidas num só texto, tal como aparece em suas obras completas. A seguinte frase conclui essa parte inicial: "Havendo as condições do tratamento sido reguladas desta maneira, surge a questão: em que ponto e com que material deve o tratamento começar?"[1] Pois são justamente as condições (*Bedingungen*) da análise estabelecidas por Freud que aqui enfocaremos: o tratamento de ensaio, o uso do divã, a questão do tempo e a questão do dinheiro.

Trata-se de condições e não de regras ou normas impostas por Freud, pois ele estabeleceu apenas uma única regra para a psicanálise: a associação livre, que é a resposta à pergunta sobre o início do tratamento.

Se 1989 foi o ano do cinqüentenário da morte de Freud, foi também o da data de aniversário da única regra presente na experiência analítica: o centenário da "regra fundamental", a "regra de ouro" da psicanálise, ditada a seu fundador no dia 12 de maio de 1889 pela boca de Emmy von N. Freud interrompe o relato desta paciente sob hipnose, para indagar-lhe sobre a origem de certos sintomas. "Aproveitei também a oportunidade para perguntar-lhe por que sofria de dores gástricas e de onde provinham. Sua resposta, dada a contragosto, era de que não sabia. Solicitei-lhe que se lembrasse até amanhã. Disse-me, então, num claro tom de queixa, que eu não devia continuar a perguntar de onde provinha isso ou aquilo, mas que a deixasse contar o que tinha a dizer-me."[2]

A aceitação da proposta de Frau Emmy von N. e sua generalização por parte de Freud o farão postular a inclusão do saber nos ditos do analisante para construir a análise como *talking cure* — a cura pela fala, o tratamento da palavra. "O paciente — escreve Freud no final de sua obra — deve dizer-nos não apenas o que pode dizer intencionalmente e de boa vontade, coisa que lhe proporcionará um alívio semelhante ao de uma confissão, mas também tudo o mais que sua auto-observação lhe fornece, tudo o que lhe vem à cabeça, mesmo que lhe seja desagradável dizê-lo, mesmo aquilo que lhe pareça sem importância ou realmente absurdo. Se depois dessa injunção ele conseguir pôr sua autocrítica fora de ação, nos apresentará uma massa de material — pensamento, idéias, lembranças — que já está sujeita à influência do inconsciente."[3]

Eis, portanto, a única regra da psicanálise. Ela não está do lado do analista, e sim do analisante. Trata-se de uma regra correlata à própria estrutura do campo psicanalítico aberto por Freud. É a associação livre que marca o início da psicanálise e também o início de cada psicanálise — é o ponto em que a análise deve começar.

Do lado do analista, afora o preceito da atenção flutuante, não há regras, mas a ética da psicanálise, regida pelo desejo do analista.

Nosso objetivo é o de apontar, a partir do ensino de Jacques Lacan, os fundamentos dessas quatro condições enumeradas por Freud. Longe de pretender a exaustão do tema, este trabalho é tão-somente uma introdução às condições da análise, conservando o estilo de conferência no qual foi elaborado. Trata-se de conferir na experiência analítica o quanto essas condições são determinadas pelos próprios fundamentos da psicanálise.

A IPA transformou essas condições em regras submetidas ao controle institucional, sobretudo no que diz respeito às "análises didáticas", reduzindo a experiência analítica a uma padronização, na qual o analista é um mero funcionário do dispositivo. No capítulo sobre a prática analítica e suas condições, num documento elaborado por uma sociedade de psicanálise ligada à IPA, denominado "Apresentação para o uso de um leitor leigo" (onde se busca informar ao público o que são a psicanálise e a formação do psicanalista), as condições enumeradas por Freud são erigidas em regras, colocadas no mesmo nível da associação livre, que em vez de regra de ouro é considerada uma condição igual às outras. Define-se também o enquadramento (*cadre*, *setting*) analítico: "O rigor quanto ao número, à regularidade e à duração da sessão, que é fixa: nada do que o paciente é levado a dizer, sob a regra fundamental, é suscetível de diminuir ou aumentar seu tempo de fala ou de silêncio."[4] Colocando-se como o Outro do analista, a instituição penetra a tal ponto num local em princípio inviolável, que são exigidos dos "didatas" relatórios periódicos sobre o "progresso" de seus analisantes.[5]

Recolocar essas regras impostas no âmbito de condições é submeter o dispositivo analítico à experiência do inconsciente e à particularidade de cada análise, e até mesmo de cada sessão.

Há quase quarenta anos, a partir de Lacan, praticam-se as sessões curtas. Muitas vezes essa prática é vivenciada externamente como moda, sobretudo por aqueles que buscam uma garantia no tempo fixo de cinqüenta minutos; outras, criticada pelo viés do *time is money*: "quem não gostaria de ganhar a mesma quantidade de dinheiro em menos tempo?". Esse raciocínio da sociedade de consumo, propalada pelo serviço dos bens, é absolutamente contrário à ética de Jacques Lacan, que nunca abriu mão dessa prática por estar fundamentada na experiência do inconsciente, mesmo tendo que ir contra ventos e marés, chegando por isso a ser excluído da função de formação da sociedade a que pertencia.[6] Tempo e dinheiro estão dissociados na experiência analítica. Eles são condições que devem corresponder e se submeter, cada uma delas, à lógica da psicanálise que rege o dispositivo inventado por Freud.

O rigor não se encontra nas condições erigidas em regras, mas na condução da análise sobre a qual o analista deve saber responder. Daí a exigência estabelecida por Lacan de um trabalho prévio à decisão de se aceitar um paciente em análise: as entrevistas preliminares, que têm suas funções diagnóstica, sintomal e transferencial. Elas correspondem ao que Freud denominou tratamento de ensaio.

Tampouco o uso do divã deve ser erigido em regra. Trataremos, portanto, de buscar as bases dessa prática do divã e saber ao que ela responde no âmbito do campo freudiano.

Se não são as condições elevadas artificialmente ao estatuto de regras, o que pode qualificar o psicanalista? A resposta só pode ser uma: é a passagem do analisante ao analista no interior do próprio processo analítico — passe que é correlato ao final de análise.

É essa condição que é introduzida como *mais uma*, neste trabalho, que se serve desse significante proposto por Lacan ao estruturar a composição e o funcionamento do cartel.* O *+1* é o elemento que pertence ao conjunto, tendo a função de constituí-lo e de fazê-lo funcionar. Pode-se também evocar aqui a fórmula borromeana do cartel: x + 1, em que ao se retirar o *+1* do nó borromeano se obtém a individualização completa dos elementos.[7]

A passagem do analisante ao analista no final de análise faz parte, como o *+1* do cartel, das condições da análise enumeradas no texto freudiano. Conferindo:

1) Uma não-homogeneização entre elas — cada condição se conta e se fundamenta uma a uma, cada qual sendo considerada individualmente e em relação às outras.

2) Uma estrutura borromeana a essas quatro, sem a qual elas não representam coisa alguma e não formam um encadeamento — as condições de análise estão submetidas a sua estrutura.

3) Uma limitação no tempo, incluindo a finitude que é o próprio final de análise onde há dissolução do vínculo analítico, cuja duração não pode ser prevista, ao contrário do cartel que tem seu tempo delimitado.

---

* Cartel — modalidade de agrupamento de pessoas inventado por Lacan para se estudar psicanálise em que quatro se reúnem e escolhem uma quinta dita *+1* para empreenderem um trabalho em comum. O cartel constitui o órgão base da Escola de Lacan.

A condição do término de análise como *+1*, da mesma forma que no cartel, é responsável pelo "bom andamento" das outras condições: na decisão de dar início à análise, incluindo desde então seu fim; na utilização do divã, ao possibilitar ao analista bancar o objeto *a* para o analisante; no deixar-se investir e desinvestir pelo capital libidinal do sujeito; no corte da sessão, interrompendo a cadeia de significantes do analisante. "O ato psicanalítico, nem visto nem conhecido afora nós, isto é, jamais discernido, e muito menos ainda colocado em questão, eis que nós o supomos a partir do momento eletivo em que o psicanalisante passa a psicanalista."[8] Esta *+1* condição é a condição *sine qua non* para o analista conduzir a análise de um sujeito do início ao fim.

Capítulo I

As funções das entrevistas preliminares

Quando curiosamente te perguntarem, buscando saber o que é aquilo,
Não deves afirmar ou negar nada.
Pois o que quer que seja afirmado não é a verdade,
E o que quer que seja negado não é verdadeiro.
Como alguém poderá dizer com certeza o que Aquilo possa ser
Enquanto por si mesmo não tiver compreendido plenamente o que É?
E, após tê-lo compreendido, que palavra deve ser enviada de uma Região
Onde a carruagem da palavra não encontra uma trilha por onde possa seguir?
Portanto, aos seus questionamentos oferece-lhes apenas o silêncio,
Silêncio — e um dedo apontando o caminho.

Verso budista

Em seu texto "O início do tratamento", Freud diz ter o hábito de praticar o que chama de tratamento de ensaio: tratamento psicanalítico de uma ou duas semanas antes do começo da análise propriamente dita. Isto serviria, segundo ele, para evitar a interrupção da análise após um certo tempo. Freud não especifica, porém, por que esse tratamento se interromperia. Veremos mais adiante que sua continuação está absolutamente conectada à questão da transferência.

Nesse mesmo texto, Freud anuncia que a primeira meta da análise é a de ligar o paciente ao seu tratamento e à pessoa do analista, sendo mais explícito em relação a pelo menos uma função desse tratamento de ensaio: a do *estabelecimento do diagnóstico* e, em particular, a do diagnóstico diferencial entre neurose e psicose.

A expressão *entrevistas preliminares* corresponde em Lacan ao tratamento de ensaio em Freud. Essa expressão indica que existe um limiar, uma porta de entrada na análise totalmente distinta da porta de entrada do consultório do analista. Trata-se de um tempo de trabalho prévio, à análise propriamente dita, cuja entrada é concebida não como continuidade, e sim — como o próprio nome tratamento de ensaio parece sugerir — como uma descontinuidade, um corte em relação ao que era anterior e preliminar. Esse corte corresponde a atravessar o umbral dos preliminares para entrar no discurso analítico. Esse preâmbulo a toda psicanálise é erigido por Lacan em posição de condição absoluta: "não há entrada em análise sem as entrevistas preliminares".[1]

Na prática depreendemos, no entanto, que nem sempre é possível demarcar nitidamente esse umbral da análise. Isto ocorre porque tanto nas entrevistas preliminares quanto na própria análise o que está em jogo é a associação livre.

"Este ensaio preliminar", diz Freud, "é ele próprio o início de uma análise e deve conformar-se às suas regras. Pode-se talvez fazer a distinção de que durante esta fase deixa-se o paciente falar quase o tempo todo e não se explica nada mais do que o absolutamente necessário para fazê-lo prosseguir no que está dizendo." Temos, portanto, a indicação de que, nesse momento, a tarefa do analista é apenas a de relançar o discurso do analisante. Freud, entretanto, dirá que "há razões diagnósticas para fazer esse tratamento de ensaio". Este é o momento em que, por princípio, a questão diagnóstica está em jogo.

As entrevistas preliminares têm a mesma estrutura da análise, mas são distintas desta. Logo de saída a situação é, portanto, colocada a nível de um paradoxo que pode ser escrito assim:

$$EP = A \longleftrightarrow EP \# A$$

e que se lê: entrevistas preliminares são iguais à análise, implicando que entrevistas preliminares são diferentes da análise. Disso se conclui que:

1º — A associação livre mantém a identificação das entrevistas preliminares com a análise (EP=A).

2º — Esse tempo de diagnóstico faz com que se distinga entrevistas preliminares da análise (EP# A).

O analista está submetido a esse paradoxo, a partir do qual decidirá se irá ou não acatar aquela demanda de análise. Do ponto de vista do analista, as entrevistas preliminares podem ser divididas em dois tempos: um tempo de compreender e um momento de concluir,[2] no qual ele toma sua decisão. É nesse momento de concluir que se coloca o ato psicanalítico, assumido pelo analista, de transformar o tratamento de ensaio em análise propriamente dita.

Em *O divã ético* (cap.II) veremos como o corte que implica essa passagem é um ato que pode ser significado ao sujeito pela indicação do analista para que o analisante se deite. Esse corte é a manifestação do analista ao candidato à análise de que ele o aceita em análise. Indicação importante, pois o fato de receber alguém em seu consultório não significa que o analista o tenha aceito em análise. O sujeito sabe-se candidato a analisante, e fica na expectativa de que o analista por ele escolhido venha a confirmar que também o escolheu: para a análise se desencadear é necessário, além da escolha do candidato, a escolha por parte do analista. Na constituição dessa dupla escolha, o sujeito será impelido a elaborar sua demanda de análise, o que é verificado, como veremos, na prática, como um fator de histerização ($\$ \longrightarrow S1$) na produção do sintoma analítico.

Podemos dividir em três as funções das entrevistas preliminares, cuja distribuição é antes lógica do que cronológica:

1º — *A função sintomal* (*sinto-mal*).

2º — *A função diagnóstica.*

3º — *A função transferencial.*

1º – *A função sintomal (sinto-mal)*

A demanda de análise pode ser considerada em termos de sua produção, sendo um produto da oferta do psicanalista. "Consegui, em suma, diz Lacan, o que no comércio comum se gostaria de poder realizar tão facilmente — com a oferta, criei a demanda".[3] Há uma corrente de reflexão psicossociológica assolando nossos trópicos que se preocupa com as condições de criação dessa demanda pela difusão da psicanálise.

Essa orientação, ao acentuar a dimensão da oferta para denunciar uma suposta facticidade da difusão da psicanálise como mais um modismo, leva à depreciação e ao descaso da própria clínica analítica, onde o que importa é como a demanda se particularizará num sujeito, que se apresenta ao analista representado por seu sintoma.

A demanda em análise não deve ser aceita em estado bruto, e sim questionada. A resposta de um analista a alguém que chega com a demanda explícita de análise não pode ser, por exemplo, a de abrir a agenda e propor um horário e um contrato. Para Lacan só há uma demanda verdadeira para se dar início a uma análise — a de se desvencilhar de um sintoma. A alguém que vem pedir uma análise para se conhecer melhor, a resposta de Lacan é clara — "eu o despacho".[4] Lacan não considera esse "querer se conhecer melhor" como algo que tenha o *status* de uma demanda que mereça resposta.

A demanda de análise é correlata à elaboração do sintoma enquanto "sintoma analítico". O que está em questão nessas entrevistas preliminares não é se o sujeito é analisável, se tem um eu forte ou fraco para suportar as agruras do processo analítico. *A analisabilidade é função do sintoma* e não do sujeito. A analisabilidade do sintoma não é um atributo ou qualificativo deste, como algo que lhe seria próprio: ela deve ser buscada para que a análise se inicie, transformando o sintoma do qual o sujeito se queixa em sintoma analítico.

Esse sujeito pode se apresentar ao analista para se queixar de seu sintoma e até pedir para dele se desvencilhar, mas isso não basta. É preciso que essa queixa se transforme numa demanda endereçada àquele analista e que o sintoma passe do estatuto de resposta ao estatuto de questão para o sujeito, para que este seja instigado a decifrá-lo. Nesse trabalho preliminar, o sintoma será questionado pelo analista, que procurará saber *a que esse sintoma está respondendo*, que *gozo* esse sintoma vem delimitar. Essa problemática pode ser formulada em termos freudianos da seguinte forma: o que fez fracassar o recalque e surgir o retorno do recalcado para que fosse constituído o sintoma?

A dívida do Homem dos Ratos, por exemplo, se apresenta como um sintoma que vem responder, para o sujeito, a emergência de um gozo que lhe aparece quando ouve o relato do suplício dos ratos feito pelo capitão cruel. É em torno disso que se estabelece toda a questão da dívida e a impossibilidade de pagá-la.

No caso de um paciente que se apresenta ao analista com uma idéia obsessiva que o faz sofrer, é preciso que esse sintoma, que é um significado para o sujeito, readquira sua dimensão de significante, implicando o sujeito e o desejo. O sintoma, aparecendo como um significado do Outro — s(A) —, é endereçado pela cadeia de significantes ao analista, que está no lugar do Outro — (A) —, cabendo-lhe transformar esse sintoma na questão que Lacan denomina "Que queres?" (*che vuoi*?), questão chamada desejo. O desejo é, pois, uma questão que cabe ao analista introduzir nessa dimensão sintomal.

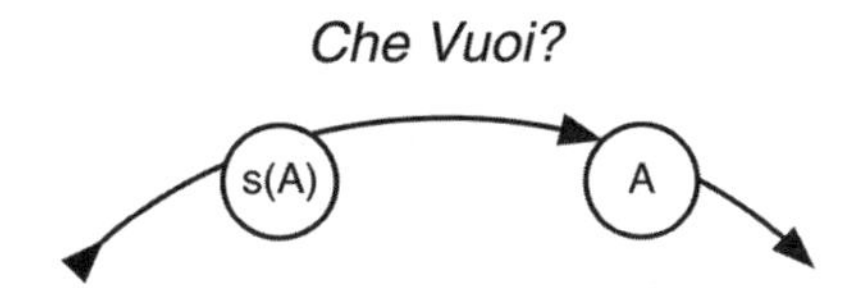

Para dar outro exemplo, cito um caso descrito num artigo de Marie-Hélène Brousse, que se chama "O Destino do Sintoma", onde vemos esses tempos bem escandidos.[5] Trata-se de uma mulher em cuja vida emergiu um gozo, sob forma de angústia, quando fumou haxixe pela primeira vez. Este gozo era acompanhado de uma sensação de morte iminente, de queda e um grito: "Vou morrer, vocês não vêem que vou morrer?". A partir de então, esta mulher apresentou um sintoma: ela iria repetir essa queda com um nome encontrado no saber médico: "espasmofilia". Apresentara-se à analista com esse sintoma já estabelecido. A partir desse encontro, o sintoma seria elevado ao estatuto de enigma para em seguida desaparecer e se deslocar para outro tipo de sintoma, a depressão.

A constituição do sintoma analítico é correlata ao estabelecimento da transferência que faz emergir o sujeito suposto saber, pivô da transferência. Esse momento em que o sintoma é transformado em enigma é um momento de histerização, já que o sintoma representa aí a divisão do sujeito ($). Enquanto o sintoma faz parte da vida do sujeito — vida com a qual ele se acostumou antes do encontro com o analista — pode ser considerado como um signo (ou sinal): aquilo que representa alguma coisa para alguém. Quando esse sintoma é transformado em questão, ele aparece como a própria expressão da divisão do sujeito. É nesse momento que o sintoma, encontrando o endereço certo que é o analista, se torna sintoma propriamente analítico. É isso que Lacan quer dizer com a formulação "o analista completa o sintoma" — que corresponde ao *discurso da histérica*.

$$\frac{\$}{a} \quad \begin{matrix}\rightarrow \\ // \end{matrix} \quad \frac{S1}{S2}$$

impotência

Com esse sintoma, o sujeito se dirige ao analista com uma pergunta — O que isto quer dizer? O que significa isso? Tal posição inclui um saber, pois supõe que o analista detém a verdade de seu sintoma, sob a forma de uma produção — o sujeito histérico encosta o mestre (S1) contra a parede para que o mestre produza um saber (S2). Saber sobre o gozo que está em causa e que vem mostrar a verdade escamoteada do sintoma. Manobra fadada ao insucesso devido à impotência do saber em dar conta da verdade do gozo (a), constituindo, no entanto, um laço social pela própria definição de discurso para Lacan.

O enigma ($) é dirigido ao analista (S1), que é suposto deter o saber: o analista é assim incluído nesse sintoma, completando-o. Nas entrevistas preliminares trata-se, portanto, de provocar a *histerização do sujeito*, desde que o histérico é o nome do sujeito dividido, ou seja, o próprio inconsciente em exercício.[6]

2º – *A função diagnóstica*

A questão do diagnóstico diferencial só se coloca em psicanálise como função da direção da análise: *diagnóstico* e *análise* (no sentido de processo analítico) se encontram numa relação lógica, chamada de implicação: D ⟶ A (se D então A). O diagnóstico só tem sentido se servir de orientação para a condução da análise. Para tanto, o diagnóstico só pode ser buscado no registro simbólico, onde são articuladas as questões fundamentais do sujeito (sobre o sexo, a morte, a procriação, a paternidade) quando da travessia do complexo de Édipo: a inscrição do

Nome-do-Pai no Outro da linguagem tem por efeito a produção da significação fálica, permitindo ao sujeito inscrever-se na partilha dos sexos.

É a partir do simbólico, portanto, que se pode fazer o diagnóstico diferencial estrutural por meio dos três modos de negação do Édipo — negação da castração do Outro — correspondentes às três estruturas clínicas. Um tipo de negação nega o elemento, mas o conserva, manifestando-se de dois modos: no recalque (*Verdrängung*) do neurótico, nega conservando o elemento no inconsciente e o desmentido (*Verleugnung*) do perverso, o nega conservando-o no fetiche. A foraclusão (*Verwerfung*) do psicótico é um modo de negação que não deixa traço ou vestígio algum: ela não conserva, arrasa. Os dois modos de negação que conservam implicam a admissão do Édipo no simbólico, o que não acontece na foraclusão.

Cada modo de negação é concomitante a um tipo de retorno do que é negado. No recalque, o que é negado no simbólico retorna no próprio simbólico sob a forma de sintoma: o sintoma neurótico. No desmentido, o que é negado é concomitantemente afirmado retornando no simbólico sob a forma de fetiche do perverso. Na psicose, o que é negado no simbólico retorna no *real* sob a forma de automatismo mental, cuja expressão mais evidente é a alucinação. Como o retorno é no real, ou seja, fora do simbólico, emprega-se o neologismo "foraclusão" como versão do termo francês *forclusion*, utilizado no âmbito jurídico para se referir a um processo prescrito, ou seja, aquele de que não se pode mais falar porque legalmente não mais existe. O termo de foraclusão como forma de negação indica por si mesmo esse local de retorno, a "inclusão" fora do simbólico.

estrutura clínica	**forma de negação**	**local de retorno**	**fenômeno**
Neurose	recalque (*Verdrängung*)	simbólico	sintoma
Perversão	desmentido (*Verleugnung*)	simbólico	fetiche
Psicose	foraclusão (*Verwerfung*)	real	alucinação

Como esse diagnóstico diferencial estrutural se manifesta na clínica?

Na *neurose*, o complexo de Édipo, diz-nos Freud, é vítima de um naufrágio, que equivale à amnésia histérica. O neurótico não se recorda do que aconteceu em sua infância — amnésia infantil, mas a estrutura edipiana se presentifica no sintoma. Um exemplo é a idéia obsessiva do Homem dos Ratos, formulada na frase: "se eu vejo uma mulher nua, meu pai deve morrer". O recalque da representação do desejo da morte do pai retorna no simbólico sob a forma de sintoma: a idéia obsessiva, expressa nessa frase, denota sua estrutura edípica, ou seja, a proibição, conectada ao pai, de ver uma mulher nua. O sintoma fornece, assim, um acesso à organização simbólica que representa o sujeito.

Na *perversão*, há admissão da castração no simbólico e concomitantemente uma recusa, um desmentido. Esse mecanismo, assim como os outros modos de negação, ocorre em função do sexo feminino: por um lado, há a inscrição da ausência de pênis na mulher, portanto, da diferença sexual; por outro, essa inscrição é desmentida. O retorno desse tipo de negação particular do perverso é cristalizada no fetiche, cuja determinação simbólica pode ser apreendida através de sua estrutura de linguagem. Como se vê no exemplo com que Freud inicia seu artigo "O Fetichismo". O curioso é que ele não recorre aos fetichistas clássicos, aos que cultuam pé, calcinha ou qualquer outro objeto mais próximo do senso comum. Freud expõe o caso de um paciente cuja condição do desejo é atrelada a um determinado "brilho no nariz" do outro. A análise desvelará um jogo de palavras translingüístico que permite entender este atrelamento: brilho, em alemão *glanze*, é homófono a *glance* que, em inglês, significa olhar. O segredo desse fetiche residia no fato deste sujeito ter vivido os primeiros anos de sua infância num país de língua inglesa. Eis a pista da constituição desse fetiche que demonstra sua determinação pelas coordenadas simbólicas da história do sujeito, denotando, como todo fetiche, o objeto pulsional em questão (o olhar).

Já na *psicose*, o significante retorna no real, apontando a relação de exterioridade do sujeito com o significante, como aparece, de uma forma geral, nos distúrbios de linguagem constatáveis por qualquer clínico que se defronte com um psicótico, sendo que seu paradigma são as vozes alucinadas. Encontram-se também: intuições delirantes, nas quais o sujeito atribui uma significação enigmática a um determinado evento sem conseguir explicitá-la; ecos de pensamento, onde o sujeito ouve seus pensamentos repetidos, podendo atribuir a alguém essa ressonância; pensamentos impostos, nos quais o sujeito não reconhece como sua a cadeia de significantes, que adquire uma "autonomia" que ele refere como obra do outro. Em suma, todo o cortejo que Clérambault chamou de automatismo mental. São idéias que não são dialetizáveis e, por não poderem ser submetidas a dúvidas e a questionamento, impõem-se como blocos monolíticos, como certezas. A dúvida é característica do neurótico porque denota uma divisão do sujeito, onde há um sim e um não. Na psicose, a certeza — certeza delirante por excelência — já mostra, portanto, um distúrbio na linguagem. Por outro lado, a foraclusão do Nome-do-Pai implica a "zerificação" do significante fálico $(\mathrm{NP}o \rightarrow \varphi\ o)$, tendo como efeito a impossibilidade de o sujeito se situar na partilha dos sexos como homem ou mulher — efeito que poderá manifestar-se em uma série de fenômenos, que vão da vivência de castração à transformação em mulher.

Freud descreve a função do diagnóstico, no texto "O início do tratamento", justamente a respeito da análise de psicóticos: "Sei que certos psiquiatras hesitam, menos do que eu, em fazer um diagnóstico diferencial, mas pude convencer-me de que também eles se enganam com freqüência. No entanto, é preciso notar que, para o psicanalista, o erro comporta mais conseqüências deploráveis do que para o dito psiquiatra clínico [...]. Num caso difícil em que o analista cometeu tal erro de ordem prática, provocando muitas despesas inúteis, ele põe em descrédito seu método de tratamento [...]. Quando o paciente não é acometido de histeria ou neurose obsessiva, mas de parafrenia, o médico se encontra na impossibilidade de sustentar sua promessa de cura, e eis porque ele tem todo o interesse em evitar um erro de diagnóstico". Em relação à cura, como efeito terapêutico esperado numa análise, concordamos com Lacan quando diz que um sujeito, enquanto tal, é incurável:[7] ele não pode ser curado de seu inconsciente. Por mais análise que se faça, mesmo que se atravesse a fantasia e se chegue ao final, o inconsciente não vai deixar de se manifestar — o sujeito é barrado ($), como testemunha a persistência dos lapsos, sonhos e chistes nos sujeitos já analisados.

Contudo, qual é a promessa de cura que o psicanalista não pode sustentar no caso da psicose? Só há uma resposta a essa pergunta: o analista não pode prometer inserir o psicótico na norma fálica; não pode fazê-lo "normal", inseri-lo em *la norme mâle*. A norma é regida pelo Édipo e pelo complexo de castração, cujo produto é o significante fálico, primado para ambos os sexos. A foraclusão do Nome-do-Pai (NP) exclui o sujeito da norma fálica (NPo → φ o), riscando qualquer esperança do analista de fazê-lo bascular para o lado da neurose. Não se pode, portanto, tornar neurótico um psicótico. Eis o que se pode deduzir da advertência freudiana, confirmada pela continuidade que Lacan deu ao seu ensino, bem como pela própria experiência analítica.

Se o sujeito é psicótico, é importante que o analista o saiba, pois a condução da análise não poderá ter como referência o Nome-do-Pai e a castração. Daí a importância de se detectar a estrutura clínica do sujeito nas entrevistas preliminares.

Outra maneira de interpretar o texto freudiano é considerar que, para Freud, há uma contra-indicação da psicanálise para psicóticos. Em Lacan, há algumas indicações que apontam no mínimo para uma prudência, embora ele deixe a cargo de cada analista a resolução de aceitar ou não o psicótico em análise. "Acontece de aceitarmos pré-psicóticos em análise, e sabemos no que isso vai dar — vai dar em psicótico."[8] Pois a análise, como lugar de tomada da palavra, pode desencadear uma psicose até então não declarada. Encontramos, entretanto, indicações de outro tipo. "A paranóia, quero dizer a psicose, é para Freud absolutamente fundamental. A psicose é aquilo diante do que um analista não deve, em caso algum, recuar."[9] Nesses casos, podemos interpretar que, diante de uma psicose já desencadeada, não haveria por que o analista não acolher a demanda de análise desse sujeito. Lacan dá outras indicações sobre a estrutura da transferência do psicótico que mostram, no mínimo, que sua posição não é a de contra-indicação.[10]

Quanto à questão mais geral do diagnóstico, Lacan chega a dizer: "existem tipos de sintomas, existe uma clínica. Só que ela é anterior ao discurso analítico e se o discurso analítico traz uma luz à clínica, isto é seguro, mas não é certo."[11] Que clínica existe antes do discurso analítico senão a clínica psiquiátrica? É a esta que Lacan vai recorrer, servindo-se, por exemplo, do conceito de automatismo mental para o diagnóstico psicanalítico da psicose, que encontra seu fundamento na lógica do significante.

A clínica a partir do discurso analítico é, portanto, algo a ser construído. Nessa clínica, só há um tipo clínico possível de ser afirmado, a histeria: "que os tipos clínicos resultam da estrutura, eis o que se pode escrever, ainda que não sem hesitação. Só há certeza e só é transmissível para o discurso histeria."[12] A transmissibilidade em análise sempre foi uma preocupação para Lacan. É o que aparece sob a forma do *matema*, cuja etimologia nos indica significar aquilo que se aprende, o que se ensina. O único tipo clínico transmissível ao nível de uma conceituação formal é a histeria. Apesar disso, Lacan nunca deixou, ao longo de todo o seu ensino, de tentar situar os outros tipos clínicos a partir da experiência analítica.

Nas entrevistas preliminares, é importante, então, no que diz respeito à direção da análise, ultrapassar o plano das estruturas clínicas (psicose, neurose, perversão) para se chegar ao plano dos tipos clínicos (histeria — obsessão), ainda que "não sem hesitação", para que o analista possa estabelecer a estratégia da direção da análise sem a qual ela fica desgovernada.

A base da estratégia do analista na direção da análise se refere à transferência,[13] à qual o diagnóstico deve estar correlacionado.

Dado que o analista será convocado a ocupar na transferência o lugar do Outro do sujeito a quem são dirigidas suas demandas, é importante detectar nesse trabalho prévio a modalidade da relação do sujeito com o Outro.

Para o obsessivo, o Outro goza, como ilustra no caso do Homem dos Ratos a figura do capitão cruel que traz à cena, com seu relato do suplício dos ratos, um gozo terrível e mortificador. Esse Outro do obsessivo é patente no personagem do Pai da horda primitiva do mito de *Totem e Tabu*, que é, como diz Lacan, um mito de obsessivo. Trata-se de um Outro detentor de gozo, que impede seu acesso ao sujeito. É um Outro a quem nada falta e que não deve, portanto, desejar — o obsessivo anula o desejo do Outro. É nesse lugar do Outro que ele se instala, marcando seu desejo pela impossibilidade. Trata-se de um Outro que comanda, legifera e o vigia constantemente. A fantasia do obsessivo traz a marca do impossível desvanecimento do sujeito para escapar do Outro.[14]

Na tentativa de dominar o gozo do Outro para que este não emerja, o obsessivo não só anula seu desejo como tenta preencher todas as lacunas com significantes para barrar esse gozo: ele não pára de pensar, duvidar, calcular, contar. Ao situar o Outro como mestre e senhor, o obsessivo fica na posição de escravo, trabalhando e se esforçando em enganar o senhor pela demonstração das boas intenções manifestadas em seu trabalho.[15] Contudo, ele mesmo se tapeia ao acreditar que é "seu trabalho que lhe deva dar o acesso ao gozo"[16]. O mito do senhor e do escravo é para Lacan um mito do obsessivo.

Encontramos na clínica do obsessivo a conjugação no Outro de dois significantes: o pai e a morte, denotando a articulação da lei com o assassinato do pai na constituição da dívida simbólica. Isto transparece nos impasses do obsessivo relativos à paternidade, ao dinheiro, ao trabalho, à justiça e à legalidade. Se o obsessivo é aquele que garante a caução do Outro, sendo, portanto, seu fiador,[17] seu desejo é condicionado pelo contrabando.

Para a histérica, o Outro é o Outro do desejo, marcado pela falta e pela impotência em alcançar o gozo, tal como demonstra o pai de Dora, cujo desejo ela vai sustentar com o seu sintoma da afonia (determinado pela fantasia de *felação*): $\$ \lozenge a \rightarrow s(A)$.

A histérica confere ao Outro o lugar dominante: na cena de sedução de sua fantasia, em que figura o encontro com o sexo, ela não está presente como sujeito, mas como objeto: "não fui eu, foi o Outro". Isso aparece na clínica como uma reivindicação ao Outro, a quem, diferentemente do obsessivo, ela não deve nada: é o Outro que lhe deve. Se o obsessivo escamoteia a inconsistência do Outro supondo-lhe o gozo, para a histérica o Outro não tem o falo. Se tampouco ela o possui, deve assumir, no entanto, a função de faz-de-conta de ser o falo.

A histérica não é escrava; ela desmascara a função do senhor fazendo greve. No entanto, está sempre à procura de um senhor, de um mestre: inventa um mestre, não para se submeter a ele, mas para reinar, apontando as falhas de sua dominação e mestria.[18] A histérica estimula o desejo do Outro e dele se furta como objeto — é o que confere a marca de insatisfação a seu desejo.[19]

Os tipos clínicos também se situam distintamente quanto ao desejo. Este é estruturado, não como uma resposta e sim como uma questão inconsciente que se situa no nível de "Quem sou eu?". Para o obsessivo, trata-se de uma questão sobre a existência (estou vivo ou estou morto?); para a histérica, sobre o sexo (sou homem ou mulher?) que é subsumida pela questão — tanto para o homem quanto para a mulher histérica — "o que é ser mulher?"[20] Esta interrogação será feita a partir da outra mulher, como é o caso da Sra. K para Dora e da vizinha da bela açougueira.

Freud baseia o seu diagnóstico de Dora na conotação de desprazer (no caso, a repugnância) conferida ao gozo sexual. "Sem dúvida, eu consideraria histérica uma pessoa em quem uma ocasião para excitação sexual despertasse sensações que fossem preponderante ou exclusivamente desagradáveis, fosse ou não a pessoa capaz de produzir sintomas somáticos."[21]

Essa conotação do gozo sexual, de menos prazer da histérica e de mais prazer do obsessivo, apontada por Freud, se encontra desde o rascunho K de sua correspondência com Fliess, onde, no intuito de estabelecer a etiologia das neuroses, procura diferenciar histeria, neurose obsessiva e paranóia a partir da modalidade de gozo vivenciado no primeiro encontro com o sexo e da vicissitude da representação vinculada a essa experiência.[22] Essa modalização do gozo sexual nos tipos clínicos é um critério diagnóstico determinado pela fantasia fundamental que não deve ser desconsiderado nas entrevistas preliminares.

3º — *A função transferencial*

"No começo da psicanálise é a transferência", nos diz Lacan, e seu pivô é o sujeito suposto saber.[23] O surgimento do sujeito sob transferência é o que dá o sinal de entrada em análise, e esse sujeito é vinculado ao saber. É o que depreendemos na própria formulação da regra da associação livre por Frau Emmy von N., quando pede para Freud calar-se: há para ela um saber, presente em seus próprios ditos.

A resolução de se buscar um analista está vinculada à hipótese de que há um saber em jogo no sintoma ou naquilo de que a pessoa quer se desvencilhar. É o que Jacques-Alain Miller chama de pré-interpretação, feita pelo sujeito de seu sintoma.[24]

O estabelecimento da transferência é necessário para que uma análise se inicie: é o que denominamos a função transferencial das entrevistas preliminares. Mas a transferência não é condicionada ou motivada pelo analista. "Ela está aí, diz Lacan na 'Proposição', por graça do analisante. Não temos de dar conta do que a condiciona. Aqui ela está desde o início." A transferência não é, portanto, uma função do analista, mas do analisante. A função do analista é saber utilizá-la.

A primeira formulação dessa questão pode ser encontrada no artigo de Lacan "Função e campo da fala e da linguagem" quando fala de *transferência de saber*. Trata-se de uma ilusão na qual o sujeito acredita que sua verdade encontra-se já dada no analista e que este a conhece de antemão. Esse "erro subjetivo" é imanente à entrada em análise. A subjetividade em questão é correlata aos efeitos constituintes da transferência, que são distintos dos efeitos já constituídos antes desse momento. Essa subjetividade correlata ao saber como efeito constituinte da transferência é o que Lacan formulará como *sujeito suposto saber*. "Cada vez, diz ele no *Seminário XI*, que para o sujeito essa função do sujeito suposto saber é encarnada por quem quer que seja, analista ou não, isso significa que a transferência já está estabelecida."

Se o analista empresta sua pessoa para encarnar esse sujeito suposto saber, ele não deve de maneira alguma identificar-se com essa posição de saber que é um erro, uma equivocação. A posição do analista não é a de saber, nem tampouco a de compreender o paciente, pois se há algo que ele deve saber é que a comunicação é baseada no mal-entendido. Sua posição, muito mais do que a posição de saber, é uma posição de ignorância, não a simples ignorância ignara, mas a *ignorância douta*. Esse é um termo de Nicolau di Cusa (século XV) que é definido como "um saber mais elevado e que consiste em conhecer seus limites". A ignorância douta é um convite não apenas à prudência, mas também à humildade; um convite a se precaver contra o que seria a posição de um saber absoluto: contra a posição do analista de aceitar essa imputação de saber que o analisante lhe faz. O saber é, no entanto, pressuposto à função do analista.

O *sujeito suposto saber* é definido por Lacan, no início de seu ensino, como "aquele que é constituído pelo analisante na figura de seu analista", e mais tarde o fará equivaler a *Deus Pai*.[25] Identificar-se com essa posição é transformar a análise em uma prática baseada em uma teoria (ou uma teologia) que não inclui a falta.

A disjunção da função do *sujeito suposto saber* da *pessoa do analista* vai aparecer de forma patente na formalização de Lacan da entrada em análise — formalização que é feita com o *algoritmo da transferência*.[26]

$$\frac{S \longrightarrow Sq}{s\,(S1, S2 \ldots Sn)}$$

Algoritmo, segundo a definição do *Dicionário das matemáticas* de A. Bouvier e M. George, é uma "referência de regras a serem aplicadas numa ordem determinada a um número finito de dados, para se chegar com certeza a um certo resultado, e isso, independentemente dos dados. Um algoritmo não resolve apenas um problema, mas toda uma classe de problemas, só diferindo pelos dados, mas governados pelas mesmas prescrições". Algoritmo é, portanto, uma fórmula qualquer.

O algoritmo da transferência é o *matema da entrada em análise*; é a formalização que está em ressonância com o que Freud postula na abertura do texto "O início do tratamento", quando faz a famosa comparação da psicanálise com o jogo de xadrez — "Todo aquele que espera aprender o nobre jogo de xadrez nos livros, cedo descobrirá que somente as aberturas e os finais dos jogos admitem uma apresentação sistemática exaustiva e que a infinita variedade das jogadas que se desenvolve após a abertura desafia qualquer descrição deste tipo". Freud dirá então que apenas formulará algumas regras para o início do tratamento. Esse *algoritmo da transferência* é o que responde, num esforço de formalização, independente das particularidades de cada um, à própria estrutura da entrada em análise.

O "S" do numerador dessa fração é o chamado significante da transferência: um significante do analisante se dirige a um significante qualquer (Sq), que vem representar o analista. Este significante fabricado pelo analisante fará com que ele escolha *aquele analista*: pode ser o nome próprio ou algum traço particular. Essa escolha do analista é formalizada por Lacan como uma articulação de dois significantes que corresponde ao estabelecimento da transferência — transferência significante. O efeito dessa transferência significante é um sujeito, representado na fórmula por s (significado), que está correlacionado aos significantes do saber inconsciente (estes significantes S1, S2 ...Sn, dispostos numa cadeia, que representam um conjunto de significantes do saber inconsciente). A articulação do significante da transferência com o significante qualquer do analista "escolhido" pelo analisante tem como efeito a produção do sujeito: aquilo que um significante representa para outro significante $\left(\frac{S1}{\$} \rightarrow S2\right)$. Esse sujeito não é real, ele é produzido como significado (s) articulado através de uma suposição do saber inconsciente. Trata-se da instituição do sujeito da associação livre inaugurada pela articulação significante (S → Sq) que é o próprio sujeito do inconsciente representado na fórmula da fantasia (S ◊ a). É este sujeito que será destituído quando do término da relação transferencial: "a destituição subjetiva, diz Lacan, na 'Proposição' está inscrita no *ticket* de entrada". Esse sujeito suposto saber, aqui representado pelo denominador, não é necessariamente imposto ao analista pelo analisante. O que importa é a relação que foi estabelecida pelo analisante entre o analista e o sujeito suposto saber.

"O sujeito suposto saber, fundando os fenômenos de transferência, não traz nenhuma certeza ao analisante de que o analista saiba muito — longe disso! O sujeito suposto saber é perfeitamente compatível com o fato de ser concebível pelo analisante que o saber do analista seja bem duvidoso."[27]

Evidentemente, no início o analista nada sabe a respeito do inconsciente do analisante. Isso é mostrado claramente no algoritmo no qual esse significante qualquer (Sq), que representa o analista, não tem relação com o saber inconsciente. Encontramos aqui formalizada a afirmação de Freud de que todo paciente novo implica a constituição da própria psicanálise: o saber que se tem sobre outros casos não vale de nada, não pode ser transposto para aquele caso. Cada caso é, portanto, um caso novo e como tal, deve ser abordado.

O algoritmo da transferência é construído a partir de um outro algoritmo que se encontra em sua base: o algoritmo saussuriano S/s, que implica o *referente* do signo lingüístico, isto é, aquilo a que o signo lingüístico remete — o elemento do mundo que é designado por esse signo.

No algoritmo da transferência, a significação do saber inconsciente corresponde ao lugar do referente no signo saussuriano, só que aqui essa significação do saber é latente, sem deixar, no entanto, de ser referencial. Lacan articula esse saber referencial do sujeito em sua particularidade com o saber textual, uma vez que a "psicanálise deve sua consistência aos textos de Freud". Através do algoritmo da transferência, Lacan vincula *a psicanálise em intensão à psicanálise em extensão*, pois aposta na transmissão do saber particular via sua articulação com os textos de Freud.

Qual o efeito do estabelecimento desse sujeito suposto saber? É o *amor*. Com o surgimento do amor se dá a transformação da demanda, uma *demanda transitiva* (demanda de algo, como por exemplo, livrar-se de seu sintoma) torna-se uma *demanda intransitiva* (demanda de amor, de presença, já que o amor demanda amor).

O amor é o efeito da transferência, mas efeito sob o aspecto de resistência ao desejo como desejo do Outro. Ao surgimento do desejo, sob a forma de questão, o analisante responde com amor; cabe ao analista fazer surgir nessa demanda a dimensão do desejo, que é também conectado ao estabelecimento do sujeito suposto saber. Este corresponde, condicionando-o, a um sujeito suposto desejar. Eis a articulação com a função sintomal, pois fazer aparecer a dimensão do desejo é fazê-lo surgir como desejo do Outro, levando o sintoma à categoria de enigma pela ligação implícita do desejo com o saber.

Não basta a demanda de se desvencilhar de um sintoma; é preciso que este apareça ao sujeito como um ciframento — portanto, algo a ser decifrado — na dinâmica da transferência, pelo intermédio do sujeito suposto saber.

O que quer esse amor de transferência? Ele quer saber. Ora, a própria *transferência* é definida por Lacan como o "amor que se dirige ao saber". Porém, sua finalidade, como a de todo amor, não é o saber, e sim o objeto causa do desejo. Esse objeto (*o objeto a*) é o que confere à transferência seu aspecto real: de real do sexo. Trata-se aqui da vertente da transferência como colocação em ato da realidade sexual do inconsciente. À transferência como repetição em que os significantes da demanda são endereçados ao Outro do Amor em que é colocado o analista, vem contrapor-se a transferência como um encontro da ordem do real do sexo. É o objeto *a* que, ao vir obturar a falta constitutiva do desejo, se torna esse objeto maravilhoso do qual, para Alcebíades, Sócrates é o continente: $\alpha\ \gamma\ \alpha\ \mathrm{l}\ \mu\ \alpha \left(\frac{a}{-\varphi}\right)$.

No *Seminário VIII*, Lacan fez do *Banquete* de Platão o texto central sobre a transferência, Sócrates aparecendo como aquele que nunca pretendeu saber nada, além do que diz respeito a Eros.[28] É por estar no lugar de sujeito suposto saber sobre o desejo que o discurso de Alcebíades se dirige a ele.

A demanda dirigida ao analista em posição de sujeito suposto saber apresenta-se como demanda de transferência de saber. Isto é ilustrado logo no início do *Banquete*, quando Agatão se dirige a Sócrates que está entrando: "Aqui, Sócrates! Reclina-te ao meu lado, a fim de que ao teu contato desfrute eu da sábia idéia que te ocorreu em frente de casa. Pois é evidente que a encontraste, e que a tens, pois não terias desistido antes." [175 d]. Ao que Sócrates, desprezando ironicamente essa suposição de saber, e apontando para o engodo de uma suposta transferência de saber, replica: "Seria bom, Agatão, se de tal natureza fosse a sabedoria, que do mais cheio escorresse ao mais vazio, quando um ao outro nos tocássemos, como a água dos copos que pelo fio de lã escorre do mais cheio ao mais vazio. Se é assim também a sabedoria, muito aprecio reclinar-me ao teu lado, pois creio que de ti serei cumulado com uma vasta e bela sabedoria. A minha seria um tanto ordinária, ou mesmo duvidosa como um sonho, enquanto a tua é brilhante e muito desenvolvida..."

Mas é o discurso de Alcebíades, quando este compara Sócrates com um sileno, que nos revela que a suposição de saber é correlativa à atribuição, ao Outro da transferência do objeto precioso que causa o desejo. Diz Alcebíades: "Afirmo eu então que ele é muito semelhante a esses silenos colocados nas oficinas dos estatuários, que os artistas representam com um pifre ou uma flauta, os quais abertos ao meio, vê-se que têm em seu interior estatuetas de deuses (*agalmata theon*)". Os silenos têm duas acepções: eram divindades do séquito de Dionísio figurados com cauda e cascos de boi ou de bode e rosto humano singularmente feio; eram também pequenas embalagens para oferecer presentes, caixas de jóias. Mais adiante em seu discurso, Alcebíades volta a insistir nessa comparação, salientando o que se encontra no interior de Sócrates para-além de sua (feia) aparência: "Uma vez porém que

Sócrates fica sério e se abre, não sei se alguém já viu as estátuas (*agalmata*) lá dentro; eu por mim já uma vez as vi, e tão divinas me pareceram elas, com tanto ouro, com uma beleza tão completa e tão extraordinária que eu só tinha que fazer imediatamente o que me mandasse Sócrates." São esses *agalmata* que Alcebíades quer receber de Sócrates sob a forma de saber quando se encontrou a sós com ele "como se me estivesse ao alcance [...] ouvir tudo o que ele sabia" — esperança sustentada na equivalência do sujeito suposto saber com o sujeito suposto desejar — "julgando que ele estava interessado em minha beleza." [217 d].

O estabelecimento da transferência no registro do saber através de sua suposição é correlato à delegação àquele que é seu alvo de um bem precioso que causa o desejo, causando, portanto, a própria transferência.

Para Lacan, há uma identidade entre o algoritmo da transferência (onde só aparecem significantes) e o que é conotado como *agalma*, no *Banquete* de Platão. Se na transferência há presentificação da realidade do inconsciente enquanto sexual é por causa desse objeto maravilhoso — *agalma*.

O discurso de amor que Alcebíades dirige a Sócrates como aquele que contém o objeto precioso de seu desejo tem como resposta a saída de Sócrates dessa posição de desejável — Sócrates vai apontar para Alcebíades que é Agatão o objeto de seu desejo. Sócrates sabe que ele não tem esse objeto precioso, e sim que detém sua significação. Ele se recusa, porém, a esse simulacro, dizendo-se não digno do desejo de Alcebíades. Em relação a Sócrates, o analista deve assumir uma posição diferente — o analista deve consagrar-se a *agalma* — a essência do desejo. O analista deve estar disposto a pagar o preço de se ver reduzido, ele e seu nome, a um significante qualquer, em nome desse *agalma*, no qual Lacan reconheceu o objeto *a* como um "mais-gozar em liberdade e de consumo mais curto".[29]

O surgimento desse sujeito suposto saber é correlato ao objeto *a*, do qual o analista, diferentemente de Sócrates, deve "fazer-de-conta", provocando assim a torção dos termos do que era o discurso histérico e fazendo com que o candidato à análise entre no discurso analítico propriamente dito. O corte promovido pela entrada em análise se dá quando há um giro dos elementos e o sujeito passa a produzir os significantes-mestres (S1) de seu assujeitamento ao Outro.

$$\frac{\$}{a} \to \frac{S1}{S2} \longrightarrow \frac{a}{S2} \to \frac{\$}{S1}$$

A retificação subjetiva

É nesse tempo preliminar à análise propriamente dita que podemos incluir um tipo de interpretação do analista designado por Lacan como retificação subjetiva. Ao criticar os autores que têm como meta da análise a relação com a realidade, ou seja, o fim da análise como adaptação à realidade, ele chama a atenção para o fato de Freud proceder com o Homem dos Ratos na ordem inversa: "Ou seja, ele começa por introduzir o paciente a um primeiro discernimento (*repérage*) de sua posição no real, ainda que este acarrete uma precipitação, não hesitemos em dizer, uma sistematização dos sintomas."[30]

A retificação subjetiva que Freud provoca no Homem dos Ratos, considerada por Lacan como interpretação decisiva, encontra-se na parte F, "A causa precipitadora da doença", quando ele lhe diz que o conflito entre seu projeto de casar com uma moça pobre e o projeto familiar de casá-lo com uma moça rica, como o pai, é resolvido pela doença: "caindo doente evitava a tarefa de resolvê-lo na vida real". Freud retifica assim a ordem das coisas modificadas pelo sujeito, cuja neurose impedia a decisão da escolha entre seu amor (*liebe*) pela dama e a vontade (*wille*) do pai, mostrando-lhe que esta foi a solução encontrada para não escolher, e portanto, não agir. "Na realidade, diz Freud, o que parece ser a conseqüência é a causa ou o motivo de ficar doente." Esta retificação introduz a causalidade da neurose na não escolha entre a moça rica e a moça pobre, apontando a divisão do sujeito. O comentário de Freud nessa retificação, de que "os resultados de uma doença dessa natureza nunca são involuntários", promove ainda a responsabilização do sujeito na escolha da neurose. Na retificação subjetiva há, portanto, a introdução da dimensão ética — da ética da psicanálise, que é a ética do desejo — como resposta à patologia do ato que a neurose tenta solucionar escamoteando-a.

Outro exemplo de retificação subjetiva de Freud, qualificado por Lacan de notório, é "quando ele obriga Dora a constatar que, dessa grande desordem do mundo de seu pai cujo dano é o objeto de sua exclamação, ela fez mais do que participar, que ela se constituíra como a cavilha dessa desordem, e que esta não poderia ter continuado sem sua condescendência". Mais adiante, Lacan continua: "Sublinhei há muito o procedimento hegeliano desse reviramento das posições da bela alma à realidade que ela acusa. Não se trata de adaptá-la a esta, mas de mostrar-lhe que está justamente adaptada demais, visto que concorre para sua fabricação."

Essa referência concerne ao texto "Intervenção sobre a transferência", de 1951, no qual Lacan define a experiência analítica a partir da intersubjetividade — a "relação de sujeito a sujeito" — como experiência dialética, privilegiando o discurso na medida em que é constituinte do sujeito graças à presença do analista, alvo do seu endereçamento.[31] A partir da dialética hegeliana, Lacan se dedica no caso Dora a escandir as estruturas onde se transmuta a verdade para o sujeito através de "reviramentos dialéticos". A retificação subjetiva corresponde ao primeiro reviramento dialético operado por Freud. Dora se queixa de ser vítima do assédio do Sr. K. propiciado pela relação amorosa de seu pai com a Sra. K., situação que é apresentada por ela como um fato objetivo da realidade, que Freud não pode mudar. A retificação subjetiva de Freud consiste em perguntar "qual é sua participação na desordem da qual você se queixa?".

Na situação descrita por Dora, encontramos a *afirmação* da situação deplorável na qual está metida, a *negação* implícita de que tenha qualquer participação na determinação dessa desordem, ou seja, negação de sua posição subjetiva (de sujeito desejante), apresentando-a como *ipso facto*, e a *negação da negação* operada por Freud por intermédio da retificação subjetiva. Seu efeito é a emergência da participação de Dora no assédio do Sr. K. e de sua cumplicidade como propiciadora do romance do pai com a Sra. K., desvelando a estruturação de seu desejo.

A partir dessas intervenções de Freud, podemos inferir duas vertentes da retificação subjetiva segundo o tipo clínico.

Com o neurótico obsessivo, ela se situa no plano da retificação da causalidade, que se apresenta como conseqüência: sua impossibilidade de agir que é correlata à sua modalidade de sustentação do desejo como impossível. Esta correlação é ilustrada por outra retificação de Freud ao Homem dos Ratos em que ele supõe uma interdição do pai ao amor do sujeito pela dama, fazendo surgir a dimensão do Outro como o pai absoluto.

Com a histérica, a retificação subjetiva visa à implicação do sujeito em sua reivindicação dirigida ao Outro, fazendo-o passar da posição de vítima sacrificada à de agente da intriga da qual se queixa, e que sustenta seu desejo na insatisfação. "O que deve efetuar o sujeito para se desvencilhar de seu papel da 'bela alma' é precisamente, diz Zizek, um tal sacrifício do sacrifício: não basta 'sacrificar tudo', é preciso ainda renunciar à economia subjetiva em que o sacrifício traz o gozo narcísico."[32]

Nessas duas modalidades, trata-se de introduzir o sujeito em sua responsabilidade na escolha de sua neurose e em sua submissão ao desejo como desejo do Outro. A retificação subjetiva aponta que, lá onde o sujeito não pensa, ele escolhe; lá onde pensa, é determinado, introduzindo o sujeito na dimensão do Outro.

Capítulo II

O divã ético

> *"De onde é que estão olhando para mim?*
> *Que coisas incapazes de olhar estão olhando para*
> *mim?*
> *Quem espreita de tudo?*
> *As arestas fitam-me.*
> *Sorriem realmente as paredes lisas.*
> *Sensação de ser só a minha espinha.*
> *As espadas."*
>
> A Múmia, *Fernando Pessoa*

O divã, essa peça do mobiliário, tornou-se há muito símbolo de uma psicanálise, ou até mesmo d'A psicanálise. Como significante, ele representa para o Outro social o psicanalista, qualificado de herdeiro de Freud. Até hoje, os freudianos continuam fazendo seus analisantes deitar: Lacan não tirou o divã do dispositivo analítico. Para a IPA, trata-se de uma norma padronizada da cura-padrão, a outra norma sendo a imposição da duração de pelo menos quarenta e cinco minutos por sessão, sem mencionar a regulamentação da freqüência das sessões por semana.

Com Lacan, varre-se a padronização — o *setting* analítico é rompido para que o analista possa manejar a sessão de acordo com a única regra imposta ao analisante: a associação livre. Contudo, Lacan conservou a *condição* do divã bem como as entrevistas preliminares: duas condições intimamente ligadas, uma vez que a indicação do divã pontua o fim dessas entrevistas, marcando a entrada em análise. O fato de indicar aos pacientes que devem deitar será um procedimento meramente técnico? É o que pode parecer à primeira vista. No entanto, com o retorno a Freud promulgado por Lacan, aprendemos que esse retorno é orientado: trata-se de buscar o fundamento ético a todo e qualquer procedimento técnico para remetê-lo à estrutura em causa. O divã tampouco deve escapar a isso.

A justificação de Otto Fenichel desse "detalhe prático" que é o divã, em seu texto "Problemas da técnica analítica," de 1951, resume bem a noção que passou para o senso comum: relaxamento para o paciente e alívio para o analista do incômodo de ser olhado. A essas vantagens ele opõe o caráter de cerimonial e o efeito de uma impressão mágica sentida pelo analisante. Daí sua reserva quanto a uma rigidez técnica: "tudo é permitido com a condição de que se saiba a razão" — pode-se dispensar a condição do divã, segundo Fenichel, em caso de recusa do paciente ou quando ele se encontra por demais desejoso de se deitar.[1]

As "PIP"

Em 1963 essa questão volta a ser evocada no momento em que os analistas europeus de línguas românicas da IPA se reúnem para habilitar, em espelhamento com seus colegas americanos, as "PIP", ou seja, as Psicoterapias de Inspiração Psicanalítica.[2] Trata-se de variantes da cura-padrão que receberam nesse congresso não apenas o sinal verde e a bênção da comunidade européia, mas também sua padronização.

A orientação lacaniana não só se opõe totalmente às PIP, como também ao próprio conceito de variantes da cura-padrão, título de um artigo de Lacan feito sob encomenda em 1955 para a *Encyclopédie médico-chirurgicale*[3], título que qualificará mais tarde de abjeto. Nesse artigo, ele combate a idéia de padronização e a de variantes da psicanálise, pois a cura, o tratamento que se espera de um psicanalista, é justamente uma psicanálise, experiência do inconsciente, tributária da função da fala e do campo da linguagem.

As PIP são efetivamente um produto do privilégio conferido ao Eu (*ego*) na teoria psicanalítica, pois são indicadas "sobretudo ao paciente com o Eu fraco". Segundo o autor do relatório referente às PIP, a promoção destas nada mais é do que o resultado da evolução constante da psicanálise, ou seja, a descoberta do Eu que tomou a dianteira em relação ao inconsciente, o empalidecimento do Édipo diante da riqueza que se descobre na relação mãe-filho, etc. Em suma, novos males, novos remédios. Pode-se ler nesse relatório que a "qualificação de uma autêntica psicoterapia de inspiração psicanalítica só poderia ser efetuada considerando-se a singularidade desse duplo movimento temporal e espacial que levou o paciente num primeiro movimento de evolução técnica do face a face e da poltrona ao divã e ao isolamento visual; num segundo movimento o fez retornar do divã à poltrona e ao face a face". A partir daí foi definida uma padronização: para a cura-padrão, o par divã-poltrona; para as psicoterapias simples, o par poltrona-poltrona; para as psicoterapias de inspiração psicanalítica, a "dialética divã-poltrona e poltrona-poltrona". Nesse relatório, somos avisados dos perigos de fazer o paciente deitar-se, pois este poderia "sentir o olhar do analista pesar sobre si por detrás, penetrar na nuca, etc., reativar temores arcaicos relativos, ao mesmo tempo, à mais completa e mais animalesca necessidade de segurança (comer — ser comido) e medos mais elaborados de ser 'descoberto' e *julgado* no plano prazer-desprazer e no do amor — perda do amor". E no caso do Eu fraco, o paciente pode ter medo de despersonalização, de despedaçamento e de morte quando " a regressão terá levado o paciente às fronteiras do pré-verbal". São esses perigos que justificam a técnica das PIP.

Em recente publicação da Société Psychanalytique de Paris — "Apresentação da SPP para o uso de um leitor leigo", o *setting analítico* da cura-padrão se define por ser estrito, caracterizando-se antes de tudo pelo "dispositivo divã-poltrona" e em seguida pelo "rigor quanto ao número, à regularidade e à duração das sessões".[4] O que para eles define o dispositivo freudiano não é, pois, a associação livre mas, entre outras coisas, o mobiliário, o par divã-poltrona. Isto não impede algumas pessoas originais de proporem algumas variações do *setting analítico*, como é descrito em um texto apresentado no Congresso dos Psicanalistas de Língua Francesa dos Países Românicos realizado no mês de maio de 1989 em Paris. Paulette Letarte colocou seu divã de tal maneira que o analisante pudesse se sentar confortavelmente para que seu olhar e o da analista pudessem convergir em um ponto de encontro, produzindo desta forma uma cena imaginada em que o analista designa com a mão os personagens aos quais faz referência em sua interpretação. Essa espécie de psicodrama imaginado recebe uma justificativa que é totalmente oposta, como veremos em seguida, à discussão de Freud sobre a questão do divã no que tange à relação da fala com as imagens que desfilam diante do sujeito durante a sessão. Esse palco de faz-de-conta é um "lugar a que podemos apelar para evitar a devoração recíproca, para fantasiar a passagem ao ato e interpretá-la por antecipação ao invés de proibi-la, para afastar as sombras do passado e transformá-las em imagens visíveis, para negociar as tensões da transferência, pois se trata sempre de devolver ao paciente, de forma enriquecida, o que ele projetou em nós".[5] Por não ter à sua disposição a categoria do simbólico para lidar com o conceito de transferência, situando a experiência analítica no campo da linguagem, a autora se perde e se emaranha ainda mais no enviscamento imaginário ao tentar dele escapar por uma medida técnica: mexendo no divã.

O corte no espelho

O uso do divã tem, em primeiro lugar para Freud em seu texto "O início do tratamento", uma significação histórica: é o vestígio da hipnose. Se ele insiste na posição deitada durante a análise é para que o analista fique sentado atrás do analisante de "maneira a não ser olhado". Enuncia, então, diversas razões para conservar o divã. Primeiro por não suportar ser olhado oito horas ou mais por dia. Poderíamos efetivamente convocar aqui as modalidades da pulsão escópica no sujeito Freud — e retomar seus sonhos tais como *Favor fechar um olho*, ou *Non vixit* onde se encontram os olhos aniquiladores de Brücke, ou ainda *Conde de Thun* onde o homem idoso vem a ser o pai de Freud que teve glaucoma, etc., não fosse nossa repugnância em bancar o analista de Freud. Não se trata, para nós, de analisar sonhos e detectar fantasias de Freud para justificar a origem da condição do divã na experiência analítica. Interessa-nos antes seu ponto de enunciação para dizer a estrutura, em outros termos, como diz Lacan, o *dizer* de Freud: "o que importa no real" (importa tem aqui o sentido de importância e de importação). Idiossincrasia freudiana à parte, trata-se de um fato experimentado por mais de um analista.

Freud não se detém, porém, nesse motivo pessoal e explica não querer que a expressão de seu rosto possa fornecer ao analisante certas indicações suscetíveis de serem interpretadas ou de influenciarem sua fala. "Insisto, contudo, nesse procedimento, diz Freud, que tem como objetivo e como resultado impedir que a transferência se misture imperceptivelmente às associações do paciente e isolar a transferência, de tal maneira que a vemos aparecer, num dado momento, em estado de resistência." A principal razão do divã na análise não é, portanto, nem de ordem histórica nem pessoal: ela se deve à estrutura da transferência. Trata-se de uma tática, cujo objetivo é dissolver a pregnância do imaginário da transferência, para que o analista possa distingui-la no momento de sua pura emergência nos dizeres do analisante. A *Shauplatz* não é o consultório, ela é o Outro do significante. Se o analista é agente por efeito da transferência, ele não é absolutamente ator — o analista não deve prestar-se ao espetáculo (dar *show*), nem tampouco visar a tiradas espetaculares. Seu lugar é o da invisibilidade — a medida de seu ato é o real e não a atuação. Em oposição à encenação, a indicação do divã na entrada em análise é um ato analítico que reproduz em cada análise o início da psicanálise: Freud recusa o espetáculo das histéricas ao descortinar a Outra Cena. Condição favorável para isolar a transferência nos significantes — atacar o muro narcísico, figurado pelo eixo a — a' do esquema L, para que a análise ocorra no eixo simbólico entre S e A, lá onde se encontra o objeto.

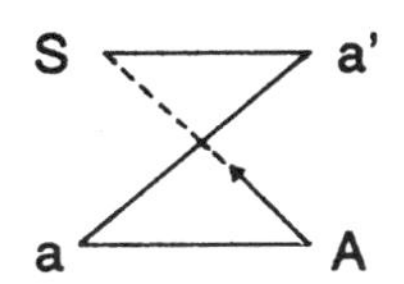

Em outros termos, trata-se de esmaecer a transferência imaginária para favorecer a emergência da transferência no significante — o que podemos aproximar do algoritmo da transferência, onde só há significantes.

Privilegiar a fala se acompanha, portanto, da redução do visual, que Lacan designa como o campo exemplar do engodo do desejo, na medida em que ele é protegido pela imagem [i(a)]. O olho institui, na relação do sujeito com o outro imaginário, o desconhecimento de que sob esse desejável há um desejante. Cabe a essa função chamada por Lacan de "desejo do analista" ir contra esse desconhecimento, e fazer com que, sob esse objeto de desejo que detém o analista, surja para o analisante a interrogação sobre sua própria posição em relação ao desejo do Outro.

Com o dispositivo de fazer o analisante deitar no divã, apaga-se a imagem do outro, i(a), que representa a *persona* do analista, e I(A), o ideal do Outro, tenderá a ocupar seu lugar.

A primeira vez que um analisante histérico se deitou — era sua primeira análise — foi acometido por uma tonteira acompanhada de angústia que o fez sentir-se como "num barco sem remos à deriva no mar". À sua tentativa de se levantar para reencontrar seu equilíbrio agarrando-se na imagem do outro, a recusa do analista revelou-se como um encorajamento à deriva significante. Não poder ver o efeito de suas palavras na expressão do analista, não ter esse ponto de apoio de ancoramento na reciprocidade de olhares, faz o sujeito perder literalmente o apoio, sentindo-se à deriva. Como efeito disso, surgiu o *aturdito* enquanto sintoma transitório: ele encontra-se aturdido por seus ditos. Trata-se aqui de um sintoma como mensagem do Outro [s(A)], cujo deciframento faz emergir a conjunção da falta de apoio paterno com a queixa dirigida a ele enquanto I(A) sob a forma de um *Pai, não estás me vendo?* na atualidade da transferência.

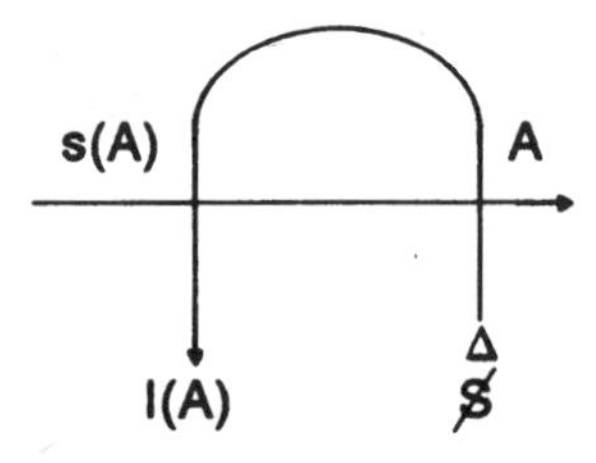

O apagamento do imaginário visado por esse procedimento freudiano do divã não tem outro objetivo senão o de desacelerar a função de desconhecimento do eu para fazer emergir o discurso do Outro — mesmo que isto não seja nem suficiente nem indispensável, uma vez que é a regra fundamental que comanda. A posição deitada introduz, no entanto, a diferença entre "o lugar desobstruído para o sujeito sem que ele o ocupe" e o "eu que vem aí se alojar".[6]

A correlação, que transparece no caso desse sujeito histérico, entre o ir para o divã e a associação livre pode também ser ilustrada com o fato de que a privação da visão do analista é acompanhada pelo convite à auto-observação; algo do tipo *vamos apagar a luz para melhor ver o filme*. Freud utiliza uma metáfora ferroviária ao enunciar a regra fundamental: "Comporte-se como um viajante, sentado à janela de um vagão, que descrevesse a paisagem que vai mudando a uma pessoa que se encontra atrás dele." Essa comparação comporta menos uma apologia de uma visão interna — o famigerado "*insight*" — do que a obrigação de fazer as imagens passarem pela fala. Com a relevância dada à colocação do imaginário em significantes — como é ilustrado em *A interpretação dos sonhos* onde Freud faz suas imagens passarem pelo relato do sonho — , o *insight* é um sucedâneo do estádio do espelho: "há uma injeção da libido nesse campo do *insight* cuja visão especularizada dá a forma".[7] Freud privilegia o sujeito da fala, que é o sujeito da enunciação, e não o sujeito do *insight*, que é o equivalente do sujeito da compreensão, ou seja, o eu.

Privação da *Schaulust*

O analisante, diz Freud, geralmente considera "essa posição como uma privação e se insurge contra ela, sobretudo quando a pulsão escópica desempenha um papel importante em sua neurose. [...] Um número particularmente grande de pacientes não gosta de que lhes seja pedido para deitar, enquanto o médico se senta atrás dele, fora de sua vista. Pedem que lhes seja concedido passar o tratamento em alguma outra posição, na maioria dos casos por estarem ansiosos por terem sido privados da visão do médico". E acrescenta de forma veemente: "essa permissão é sempre recusada". Nenhuma concessão deve ser feita ao *Schautrieb: Não! à Schaulust*, à satisfação pulsional. A pulsão escópica é aqui paradigma do manejo do gozo pulsional na experiência analítica: deve-se excluí-lo e manter sua privação. A utilização do divã é, pois, uma modalidade da regra de abstinência: um *não* ao gozo pulsional na análise, uma vez que o "tratamento analítico deve o máximo possível efetuar-se num estado de frustração, de abstinência".[8]

Essa problemática é abordada de passagem, por Lacan, no *Seminário XI* a propósito da pulsão escópica e do olhar como objeto *a*, quando ressalta que o "plano da reciprocidade do olhar-olhado é, para o sujeito, o mais propício ao álibi. Seria conveniente, portanto, por meio de nossas intervenções na sessão, não deixá-lo estabelecer-se nesse plano. Seria preciso, pelo contrário, desgarrá-lo desse ponto derradeiro de olhar que é ilusório [...] Não dizemos a toda hora ao paciente: — *Puxa! Você está com uma cara!* ou — *o primeiro botão de seu colete está desabotoado!* Não é por nada que a análise não se faz em face a face".[9] Daí o divã ser um corte no *olho-no-olho*, nesse corpo a corpo das *entre-vistas* preliminares. Esse corte na reciprocidade implica uma postura ética, pois não há simetria entre o sujeito e o Outro, cuja relação deve ser favorecida. Trata-se de abater o plano geometral da percepção para acentuar a lógica significante nos *entre-ditos*, lá onde isso está. Na análise, não estamos numa *two-body psychology*, num *olhos nos olhos*. Cortar a reciprocidade é ainda elidir o "ele olha" para dar relevância ao "fazer-se olhar", em que se manifesta no nível escópico a atividade da pulsão sexual.

Pela lógica do processo analítico, o analista será colocado no lugar do Vigia que se confunde, de fato, com o ponto de onde o sujeito se vê amável, ou seja, o ideal do eu. O fato de se deitar no divã não impede o paciente de situar-se num "mostrar-se", pois, quando é o ideal do eu que comanda a fala, o sujeito se encontra na posição de mostrar-se amável para o Outro.

O amor como endereçamento ao saber estabelece a equivalência entre o ideal do eu e o sujeito suposto saber: o sujeito se mostra, se faz ver, pois se vê amável — donde resulta que ele se faz saber, se presta ao saber do Outro. Essa analogia da estrutura permite que o amor de transferência, como corolário do sujeito suposto saber, venha tapear, visando o mascaramento do *isso olha* cuja angústia é testemunha da presença do objeto.

Há uma báscula operada entre o Outro vigilante e o Outro do Amor, conjunção cuja estrutura se deve à sobreposição do ideal do eu com a função de observação do supereu — esse olhar que pousa sobre o sujeito e o mede com o ideal: "ponto derradeiro de olhar, diz Lacan, do qual se deve desgarrar o sujeito": $\frac{I(A)}{a}$. Objeto *a* que no início da análise é latente e que o analista deve tornar patente disjuntando-o do ideal do eu, com o objetivo de esvaziá-lo de seu gozo. Assim, colocar no divã já é um *não* à confusão entre I(A) e (a), disjunção que deve ser visada na direção da análise.[10]

O paradigma da sobreposição do ideal ao objeto *a* pode ser encontrado no olhar do hipnotizador. O poder de sugestão da hipnose é o resultado da conjunção de S1 (o lugar do líder desse grupo de dois) com a fascinação do olhar. Pôr o paciente no divã é ir no sentido da análise como o avesso de uma hipnose, uma vez que promove a disjunção do ideal do eu e do objeto mais-de-gozar.

Essa articulação desvelou-se não tanto como sugestão, mas como síndrome de influência, no caso de uma mulher que veio falar-me sobre o desmoronamento de seu casamento. Após um relativo apaziguamento de seu desalento ao cabo de algumas entrevistas, decido encaminhá-la a uma colega. No dia seguinte, a paciente me telefona para dizer que eu a havia hipnotizado, "mexido em seu subconsciente", pois, segundo ela, eu a teria fitado fixamente querendo fazê-la passar por lésbica. O significante ideal *Doutor*, pelo qual ela me chamava, vinha no mesmo lugar desse objeto de gozo que me conferia o poder de vidência e manipulação de seu crânio através dos olhos — poder que me atribuía, a seu ver, o qualificativo de *lacraniano*.

Essa situação ilustra dramaticamente a sobreposição do Outro ao objeto, conjunção que o analista é chamado a encarnar, com a particularidade de que, neste caso, o objeto olhar não é latente e sim patente.

A vergonha

Na prática psicanalítica, não é raro que o próprio paciente, ao final de algumas entrevistas preliminares, peça para deitar-se no divã quando é afetado pela *vergonha* — vergonha associada a fatos ou principalmente a fantasias de desejo, particularmente íntimas e secretas. Com efeito, Freud observou em seu artigo "A criação literária é o sonho acordado", que o "adulto tem vergonha de suas fantasias e as dissimula aos outros, tratando-as como o que lhes é mais íntimo, preferindo confessar suas faltas a contar suas fantasias". A vergonha, como diz Lévy-Strauss ao comentar a desgraça em que caíram os rivais de Quesalid, é por excelência um sentimento social.[11] Trata-se do afeto correlato a um olhar emergindo do campo do Outro e que visa o sujeito — como Freud evoca a propósito dos sonhos de nudez na *Interpretação dos sonhos*.[12] O sinal da presença desse olhar, que não se vê, é o afeto da vergonha — e provoca no sujeito a política do avestruz: fechar os olhos para não ser visto. Não há maior ultraje do que aquele que "proíbe ao culpado esconder seu rosto quando envergonhado", escreve Nathaniel Hawthorne.[13] Em seu livro *A letra escarlate*, a exposição em praça pública de Hester Prynne, levando em seu peito a letra "A" de seu gozo adúltero, demonstra que a vergonha tange ao ser. A demanda de se deitar sob o efeito da vergonha é uma tentativa de se furtar ao olhar do analista, de não ver o efeito que seu relato produz nele, para se esquivar de um eventual olhar crítico.

A vergonha é um indício de transferência, pois o analista é colocado no lugar do público. Mas — e isto pode parecer paradoxal — a demanda de se deitar, nesse caso, advém quando há separação, distância, entre o Outro, que se manifesta no discurso do analisante, e a pessoa do analista. Essa distância é possível ao neurótico pois ele sabe, de alguma forma, que a transferência enquanto repetição é erro de pessoa e que o Outro não existe. No caso de psicose, a não disjunção da pessoa do analista e a figura do Outro implica uma transferência em que, contrariamente à neurose, não há erro, mas acerto, encontro. A vergonha é, pois, um afeto do neurótico: é ao mesmo tempo sinal de satisfação pulsional e barreira a esta, provocando a divisão do sujeito lá onde ele é simultaneamente impedido de exibir-se e impelido a desnudar-se. O divã permite ao analisante, com sua política de avestruz, vencer a vergonha da exibição para obedecer a regra fundamental. Mas, longe de impedir, ele favorece o "fazer-se olhar" pelo Outro — a vergonha é o sinal da atividade pulsional expressa pela pulsão escópica.

A imagem e a mancha

Qual é a relação do olhar com a imagem especular? Conhecemos a metáfora empregada por Freud do analista-espelho: o analista deve comportar-se como um espelho que reflete o que é mostrado.[14] Sobre ela, Lacan dirá tratar-se de um espelho não especular, apesar de permitir a fixação da imagem especular, i(a), ou seja, o que o sujeito vê no Outro. Mas o verdadeiro segredo da captura narcísica é o objeto olhar, cuja função é latente à imagem especular, que encerra e esconde essa função de (a). Podemos assim escrever a relação da imagem especular (i(a)) com (a): i(a)/a.[15] Com efeito, para Lacan, o obstáculo em questão na problemática do objeto *a* e da divisão do sujeito é a imagem especular — obstáculo devido ao papel particular do olhar como objeto. O analista desse sítio de onde se reflete i(a) deve de preferência reduzir-se à mancha, lá onde se encontra a função de *tykhe* no campo escópico, pois para rasgar o que há de ilusório no *eidos* visual basta uma mancha. Fazer de conta de objeto *a* nesse campo é ser uma mancha no mundo de representações do analisante.

Essa mancha tem a função de tela dos *agalmata* depositados pelo analisante no analista, denotando a ambigüidade da jóia: encobre e reflete essa "maravilha das maravilhas", objeto precioso que é *agalma*, (a/-φ). Essa ambigüidade é duplicada na transferência, pois a mancha atrai por ser o que tem o analista de desejável e retorna sobre o sujeito conotando o Outro como desejante, fazendo dele seu objeto. *Agalma* é o brilhante que confere seu caráter ao Belo, e que é o objeto do *charme* — esse charme inconveniente ao analista: ele participa da armadilha em que consiste *agalma*: armadilha do olhar. O charme (*Reize*), segundo Freud nos *Três ensaios sobre sexualidade*, é a qualidade que o olho enquanto zona erógena transmite ao objeto sexual e "que nos dá o sentimento de beleza". Ao "deixa ver!" que o analisante dirige ao analista como desejável, este responde por um "você não me vê de onde lhe olho", abrindo a dimensão do desejante. O que o Outro quer? "Gozar de mim" é a resposta do supereu que só pode aparecer na queda de *agalma*, quando se separa (a) de -φ. Resposta a-moral e obscena que o desejo do analista não permite que o analisante contorne. O divã é, portanto, ético: ele promove o apagamento do analista do campo da fascinação no sentido de separar (a) de -φ, para que o objeto apareça com sua face de mais-de-gozar, e o sujeito possa experimentar-se como falta em seu exercício da fala.

O divã: leito de fazer amor de transferência

Evocarei em linhas gerais uma entrada em análise para melhor acentuar o caráter particular da passagem para o divã, pois o fato de ter tentado depreender aqui o universal da estrutura que condiciona o uso do divã em psicanálise não significa que essa passagem não seja sempre particular. Apreender o particular de cada caso é o único procedimento que temos para não fazer um padrão do uso do divã, assim como com qualquer outro aspecto da experiência analítica.

Após a primeira entrevista comigo, durante a qual cuspiu um pedaço intragável de sua história, Joana, que veio me falar de suas desventuras conjugais, torna-se afônica — o que a fez faltar à segunda entrevista. Essa afonia se tornou rapidamente um sintoma analítico cuja superdeterminação teve como denominador comum a demanda de presença dirigida ao pai, que morrera quando era pequena. O pedaço intragável em questão constituía também um apelo ao pai: quando criança, ao pular uma fogueira, seu vestido se incendiara. Ela se tornou uma tocha viva, cujo fogo foi rapidamente apagado. O vestido chamuscado colou em sua pele, e a mãe, ao tentar tirá-lo, arrancou retalhos de pele colados aos farrapos do vestido. Desse corpo a corpo de horror com a mãe, seu pai estava ausente. Em seguida, foi o único que ela permitia que fizesse os curativos; o único com quem comia durante o período de anorexia que sucedeu à cura das queimaduras; o único que cuidava de suas inúmeras anginas que, quando pequena, a deixavam afônica.

O sintoma da afonia atualizado durante as entrevistas preliminares mostra que ela se dirigia ao analista como substituto do pai e indicava a emergência da transferência. Ela confessaria sentir-se muito inibida em olhar para mim enquanto falava e fez alusão ao fato de que bem poderia deitar-se no divã — ao que não respondi. Começou, a partir daí, a evitar meu olhar. Um dia chegou dizendo, muito embaraçada, que estava ocorrendo com ela a tal da transferência e me contou com muito esforço uma recordação de infância em que ela fazia jogos sexuais com o irmão — tratava-se de voyeurismo-exibicionismo em torno de um jogo de *striptease* — e que um dia ele colocara seu sexo no dela. Interrompeu, então, seu relato para falar de sua dificuldade em contar isso olhando para mim. Nesse momento indiquei o divã dizendo-lhe para deitar-se, o que ela recusou apesar de minha insistência. Deixei-a continuar; ela retomou dizendo-me que no enterro do pai não conseguira olhar para o irmão, pois vinha-lhe à mente o jogo sexual em questão — lembrança que a deixou envergonhada durante todo o enterro. Nas entrevistas seguintes, continuei insistindo para que se deitasse. Em vão: minha insistência só fazia acentuar minha impotência. "Não consigo", dizia e acrescentava que, no entanto, tudo fazia para agradar aos homens(!). Decidi sair dessa posição de mestre em que ela mesma me havia colocado com sua provocação e deixá-la face a face nas entrevistas ulteriores. Foi neste momento que me contou que na semana anterior tinha ido para a cama com cinco homens diferentes — todos impotentes. E acrescentou que sempre procurava homens como seu pai. Interrompi a sessão lhe dizendo: "Está bem, mas eu não sou seu pai." Na sessão seguinte, ela pôde dizer-me sentir-se excitada sexualmente em minha presença, conseguindo finalmente deitar-se.

Esta pequena seqüência não é senão a manifestação do óbvio: o divã é um leito de fazer amor — amor de transferência. Leito do qual toda satisfação é excluída: leito de suspiros, de suspirar pelo Um, de transpirar *o pior*, pois aí não tem pai que venha adormecer o desejo. O divã não é feito para o relaxamento nem para dormir: ao entorpecimento hipnótico se opõe o despertar do desejo. "A clínica está sempre ligada ao leito, diz Lacan [...] E não se encontrou nada melhor do que fazer com que se deitem os que se oferecem à psicanálise [...] É em posição deitada que o homem faz muitas coisas, o amor em particular, e o amor leva a todo o tipo de declarações."[16] No caso dessa analisante, foi no divã que o olhar como objeto causa do desejo latente, tanto na imagem especular suportada pelo analista quanto na reciprocidade dos jogos sexuais infantis, deu lugar ao olhar como objeto de um gozo mortífero da mãe — objeto que ela era para a mãe cujo olhar durante o arrancamento de retalhos de carne conotava que o Outro aí gozava.

Se o gozo está do lado da Coisa desumana, o dizer qualquer coisa — *dizvão* — da regra fundamental é a direção para que o divã de amor não seja um leito de morte. O que não significa que ele não possa adquirir essa, ou qualquer outra, significação, como a de Sardanapal do quadro de Delacroix em seu leito de morte rodeado por seus objetos de gozo: colares, jóias, vasos, tecidos, escravos, cavalos e mulheres; como a de Ofélia, pintada por John Everett Millais, resplandecente em seu leito de flores sob as águas transparentes de um rio mortal — é deitado que jaz o cadáver. Se o divã pode tomar a significação fúnebre de um funesto destino, é por ser aí que o sujeito experimenta a mortificação dos significantes que sujeitaram sua vida, cujo resto pulsa no silêncio da pulsão de morte.

Entre as Preciosas encontra-se um pudor em nomear a cama, o leito, que é designado pela função de ser o lugar de dormir, como encontramos no *Grande Dicionário das Preciosas* (Ribson, 1600) ou *A chave da língua das ruelas*: o "velho sonhador", o "império de Morfeu".

Se a cama é o leito do sono, o divã não é para se ficar deitado no berço esplêndido das regressões a um infantilismo da libido. Se a cama é para dormir e sonhar, o divã é para relatar e despertar. Divã é um termo persa que designa efetivamente um lugar de fala: a sala guarnecida de almofadas em que se reunia o conselho do sultão no império otomano. Em inglês, *it is not bed\bad*: é *couch* cujo verbo designa fazer alguém deitar e também expressar em palavras, frasear. O divã é, em suma, o leito do rio em que passou a minha vida e meu coração se deixou contar.

Capítulo III
Que tempo para a análise?

Quantos minutos gastam naquele jogo? Só os relógios do céu terão marcado esse tempo infinito e breve. A eternidade tem os seus pêndulos; nem por não acabar nunca deixa de querer saber a duração das felicidades e dos suplícios.

Machado de Assis

Cinco proposições sobre o tempo em psicanálise;

1ª proposição: O tempo em psicanálise deve corresponder à estrutura do campo freudiano. Esse aspecto não é, pois, meramente técnico ou empírico, mas responde a conceitos fundamentais da psicanálise.

2ª proposição: As sessões psicanalíticas sem tempo determinado se estabelecem num plano que não é o da burocracia e sim o da lógica do inconsciente e da ética da psicanálise.

3ª proposição: As sessões psicanalíticas sem tempo determinado encontram sua lógica em duas definições distintas de estrutura, que implicam dois aspectos do sujeito.

A) A estrutura do campo psicanalítico é equivalente à estrutura da linguagem. O sujeito é definido a partir de sua determinação pelo significante, definição essa correlata à formulação do inconsciente estruturado como uma linguagem.[1]

B) A estrutura não é apenas definida pela linguagem ("se tudo é estrutura, diz Lacan, nem tudo é linguagem"), mas também a partir do objeto *a*, real, exterior à linguagem e que está fora do significante. Trata-se aqui da estrutura do ato psicanalítico. "Ato que fundamento, diz Lacan, a partir de uma estrutura paradoxal em que o objeto seja ativo e o sujeito subvertido": (a → $).[2]

4ª proposição: O tempo em análise deve ir contra o tempo do neurótico.

5ª proposição: O tempo da sessão deve incluir em si mesmo e a cada sessão a finitude da análise. Assim, cada sessão de análise contém o final da análise.

Que tempo para a análise? *"Ande!"* é a resposta de Freud, baseada na fábula de Esopo, em seu texto "O início do tratamento". Resposta correlata à de Lacan quando inicia seu ensino (1953) com um seminário sobre a técnica psicanalítica: "O mestre interrompe o silêncio com qualquer coisa, um sarcasmo, um pontapé."[3] É assim que procede, na procura do sentido, um mestre budista, segundo a técnica zen. Cabe aos próprios alunos procurarem as respostas às suas próprias questões.

Sabemos que a questão do tempo em análise tem sido uma questão polêmica na história do movimento psicanalítico e isso sob dois aspectos:

— O primeiro se refere à duração da análise, em que está em jogo o final de análise e o "tornar-se analista".

— O segundo se refere à questão da duração da sessão psicanalítica.

Lacan introduziu esta questão do tempo da sessão, arrancando-o da padronização dos 50 minutos determinados pela IPA, para ressituar a experiência psicanalítica na função da fala e no campo da linguagem.

Trata-se do que Lacan sempre chamou de sessões curtas, e que no Brasil é referido como "trabalhar com tempo lógico": referência ao artigo de Lacan de 1945, *Le temps logique et l'assertion de certitude antecipée.* Sabemos que Lacan jamais abriu mão das sessões curtas, sempre mostrando que elas "não são desprovidas de sentido".[4]

Com o conceito de final de análise proposto por Lacan, a duração da sessão é uma função da análise na medida em que ela é terminável. Nesse sentido, o final da análise deve estar inscrito em cada sessão e isso desde o início.

Não é sem propósito que essa questão do fim da análise já é evocado por Freud em "O Início do tratamento". Ele a aborda pelo seu lado problemático: "nos primeiros anos de minha clínica psicanalítica, costumava ter a maior dificuldade em persuadir meus pacientes a continuarem sua análise. Esta dificuldade há muito tempo foi substituída, e hoje tenho o maior trabalho para induzi-los a abandoná-la". Esse tema será retomado por Freud em 1937, em *Análise terminável e interminável*, motivado justamente por essa dificuldade em fazer os analisantes terminarem suas análises. Como vemos, este problema foi-se agravando desde sua constatação em 1913 até se tornar crucial para Freud no final de sua vida, situação que se prolonga para todo o resto da comunidade analítica até hoje e que será abordada no último capítulo deste livro.

Em "O Início do tratamento", qual é a posição de Freud sobre o tempo da sessão? Ele relata que planificava as sessões, fixando seu número (seis vezes por semana, menos domingos e feriados), o horário e a duração de uma hora. Cada analisante teria, assim, uma hora diária de sessão, da qual poderia dispor como quisesse, viesse ou não à sessão.

Apesar de Freud frisar que se tratava de regras que lhe convinham, elas foram erigidas em normas de padronização pela IPA que fez, entretanto, algumas correções convenientes do tipo: no mínimo três vezes por semana (em vez das seis vezes semanais) e uma redução no tempo de sessão, que passou de 60 para 50 minutos, sem que nunca fosse feita qualquer justificativa para essa modificação. Assim, o analista passou a ser um delegado da instituição à qual se submete.

Desde 1953, essa obsessionalização foi denunciada por Lacan em seu ensino. Em contraposição a essas normas estabelecidas, ele propõe que o analista se oriente apenas pela palavra do analisante para conduzir a análise, que é essencialmente uma experiência de fala no campo da linguagem. Isso que hoje nos parece evidente, dada a difusão do ensino de Lacan, não o era em 1953, já que nesta época a psicanálise estava dominada pela técnica da análise das resistências.

O que é esse tempo, que não é um tempo padrão, cronometrado, mas um tempo de acordo com o inconsciente? E se o inconsciente é atemporal, como diz Freud, como regular a sessão a partir do inconsciente?

Tal questão não poderá ser resolvida se não lembrarmos da primeira novidade trazida por Lacan quando iniciou seu ensino a partir do axioma: *O inconsciente é estruturado como uma linguagem*. Lacan assinala que o inconsciente não está dentro nem fora, mas sim na própria fala do analisante, cabendo ao analista fazer com que esse inconsciente exista. Como fazer isso?

Pontuação e retroação

A primeira proposta de Lacan é: pontuando. É por intermédio da pontuação do texto do analisante que o analista fará com que o inconsciente exista: através de uma pontuação, o discurso comum é transformado em manifestação do inconsciente. Isso entra em oposição com a técnica que visa provocar a "tomada da consciência", seja através de interpretações do tipo: "você está se dando conta do que me diz?", seja com interpretações tiradas de uma espécie de hermenêutica, mesmo que seja uma hermenêutica edipiana ou pré-edipiana, como a do bom e mau objeto.

A suspensão da sessão obedecendo, não ao tempo do relógio, mas à trama do discurso do analisante, responde a um esquema de comunicação evidenciado por Lacan e que é encontrado não só na análise como também na experiência comum do dia-a-dia.

Para se entender uma frase é preciso esperar que ela termine. Assim, se eu disser "agora vou", ninguém entenderá. É só quando eu digo a frase toda: "agora vou ao quadro escrever o que estou dizendo", que se entenderá o sentido do "agora vou". Se considerarmos a frase como a cadeia de significantes, é quando esta termina que vamos encontrar o sentido do início da frase, numa retroação.

Esse esquema de comunicação corresponde ao *Nachträlich* freudiano, ou seja, a retroação, ou *a posteriori* ou o "só-depois". Assim, só depois de uma frase ser terminada é que se entenderá seu sentido.

Esquema de comunicação

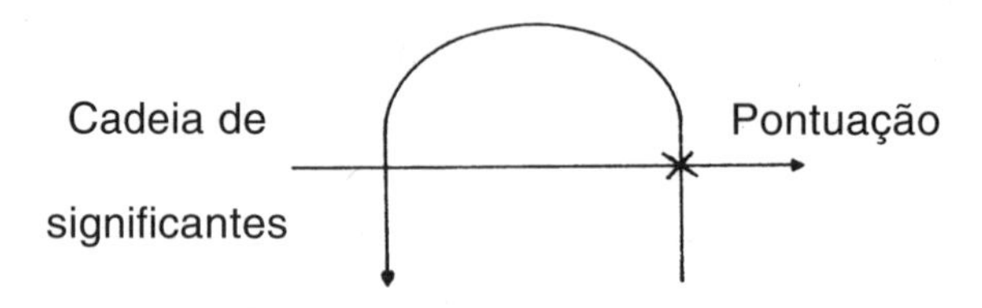

Esse esquema de retroação é fundamental na psicanálise, pois corresponde ao esquema da constituição do trauma. Para que haja trauma são necessários dois tempos. Se tomarmos o trauma por excelência, o da castração, teremos: no primeiro momento, quando da masturbação infantil, o menino ouve ameaças reais de castração. Essas falas provocarão angústia quando o menino se defrontar com a falta de pênis da mulher (da mãe), ou seja, quando se defrontar com a castração do Outro. O efeito de ameaça adquire seu sentido nesse processo de retroação, em que a primeira experiência será ressignificada.

Esse esquema de retroação será colocado por Lacan como um esquema fundamental do Édipo; será a matriz do futuro grafo do desejo, chamado de ponto de basta *(point de capiton)*. Esse termo é utilizado na confecção de almofadas: é um ponto tal que, quando é feito, a trama da almofada toma determinado formato. Esse ponto de basta permitirá, em termos de estrutura, a própria fabricação de sentido — sentido este que a partir de Freud será sempre sexual.

Podemos escrever o ponto de basta a partir do Édipo freudiano tal como Lacan propôs: a inclusão do Nome-do-pai no Outro corresponde ao advento da significação fálica, o que dará ao sentido a sua conotação sexual.

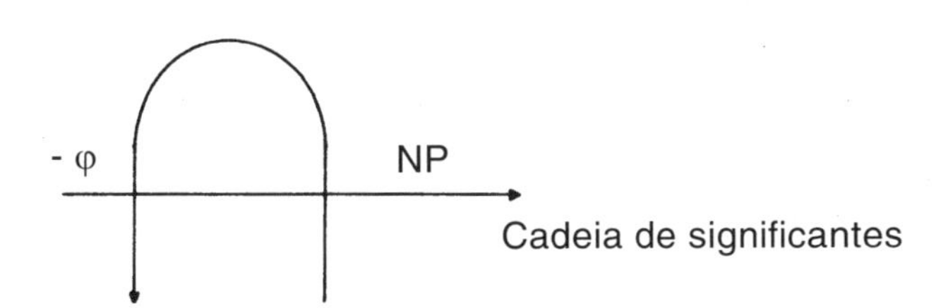

Vamos tomar esse grafo, que é uma matriz simples, como se fosse a própria experiência psicanalítica. O indivíduo tem em sua história pontos enigmáticos, de tal forma condensados que apontam para um determinado gozo, o que faz com que esse ponto volte sempre em seu discurso. Esse ponto enigmático retorna na compulsão à repetição, emergindo na fala que o sujeito dirige ao Outro onde coloca o analista. Esse ponto, aparentemente sem sentido para ele, é um enigma, e como todo enigma pleno de sentido. O sujeito começa, então, a conferir um sentido a esse evento para, mais adiante, atribuir-lhe um outro sentido; um tempo depois conferirá ainda um outro sentido e assim por diante.

Sabemos que a análise, como uma experiência de ressignificação, vai permitir diversas interpretações do mesmo evento, ou seja, diversos outros significantes podem ser associados ao evento, por ele ter uma estrutura significante.

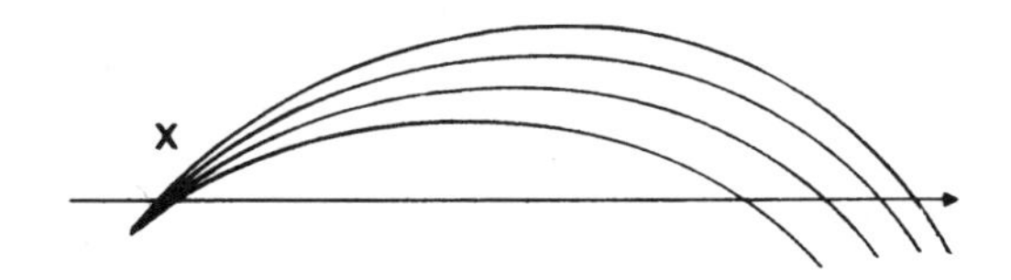

x – Ponto enigmático na história do sujeito, que é ressignificado a partir de diferentes interpretações.

Existem dois termos que Lacan utiliza em relação a cada momento dessa interpretação de um evento psíquico: ressubjetivação e reestruturação.[5]

O exemplo dado por Lacan dessa estrutura é a análise do Homem dos Lobos, que produzirá uma série de reestruturações retroativas de um evento para ele fundamental: a cena primitiva do coito anal. Isso permitirá ao sujeito assumir sua história, ou seja, inserir nela sua própria participação; história construída por meio dessa fala dirigida ao analista, possibilitando várias ressignificações.

O corte da sessão já é em si uma forma de interpretação, interpretação em ato, que vai decidir do sentido. "A suspensão da sessão, diz Lacan, não pode ser indiferente à trama do discurso e vem desempenhar na sessão o papel de uma escansão, que tem todo o valor de uma intervenção para precipitar momentos concludentes."[6]

Essa escansão, no meio psicanalítico lacaniano, veio a ser sinônimo de corte, não se confundindo, no entanto, com ele. Escansão é um termo da análise poética que significa pontuar, sublinhar, ritmar, pronunciar destacando as sílabas ou os grupos de palavra. Veremos mais adiante como é importante que esse corte tenha uma estrutura de escansão.

Ao situar-se o analista como aquele que vai suspender a sessão num determinado momento (ou seja, o que dará o ponto final na frase), aponta-se que é o analista que decidirá do sentido, que é sempre o sentido do Outro. O analista é, sob este aspecto, o senhor da verdade, desmistificando assim a suposta neutralidade do analista.

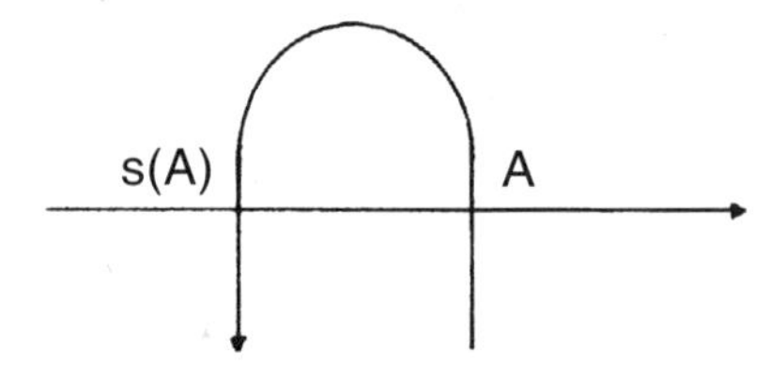

A — Analista no lugar do Outro; corte da sessão.

s(A) — Sentido do Outro.

Baseado nesse esquema, o analista, como o inconsciente, não se preocupa com o tempo, mas corta a sessão em função da fala do analisante. Mas se o analista não se preocupa com o tempo do relógio, seria falso afirmar que não se encontra presente na análise a dimensão temporal, e isso sob dois aspectos.

Tempo e linguagem

O primeiro aspecto é a própria dimensão temporal da cadeia de significantes; ela, como fala propriamente dita, implica a temporalidade. Por outro lado, só é possível conceber o tempo a partir da linguagem tal como ele aparece ao nível da gramática — passado/presente/futuro — e em todos os seus modos: indicativo, subjuntivo, imperativo, etc. Assim, não apenas a cadeia de significantes tem uma temporalidade, uma diacronia presente, como também o próprio tempo implica a linguagem. Como diz Lacan: "o beabá da temporalidade exige a estrutura da linguagem".[7]

O que faz Lacan quando utiliza a lingüística, senão introduzir a temporalidade no algoritmo saussuriano?

Algoritmo de Saussure:

$$\frac{S}{s} \quad \begin{matrix}\text{(Significante)} \\ \text{(Significado)}\end{matrix}$$

Isso implica uma cadeia de significantes que corresponda, ponto por ponto, a uma cadeia de significados.

S S S S

s s s s

Lacan, tomando o algoritmo de Saussure, inclui a dimensão do tempo representando-o por dois vetores que se intercomunicam (a cadeia de significantes, que é basteada pela cadeia de significados):

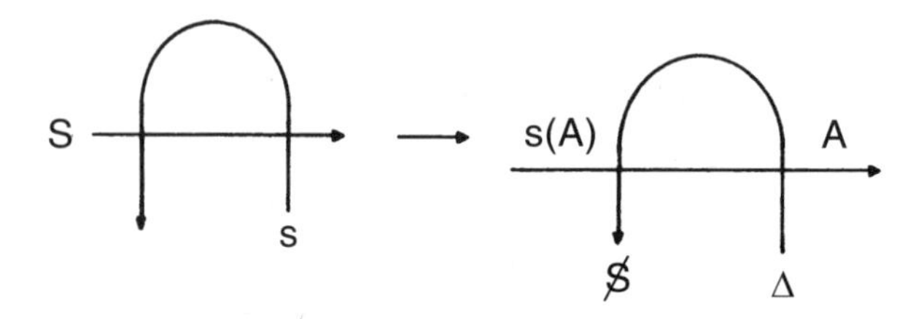

Introduzindo o tempo no algoritmo saussuriano, Lacan produz a matriz do grafo do desejo. Essa orientação temporal vai determinar o próprio conceito de sujeito em Lacan, pois ele inclui a noção do tempo,[8] o que corresponde às ressubjetivações que ocorrem numa análise, cujo esquema é análogo ao das ressignificações de um evento na história do sujeito.

Simplificando ainda mais esse esquema, podemos escrever que o encadeamento de significantes (que simplificadamente representaremos por essa matriz simples de dois significantes — S1 e S2) retroativamente produzirá o sujeito.

$$\frac{S1}{\$} - S2$$

O sujeito, que não admite nenhum significante último que diga o que ele é, é produzido pelo desenrolar da cadeia significante. Marca-se, assim, a importância de que é uma pontuação que produzirá o sujeito. O sujeito é um efeito da orientação no tempo da cadeia de significantes, um efeito retroativo.

Em "Subversão do sujeito e a dialética do desejo", Lacan indica a matriz primária do grafo do desejo como sendo a submissão do sujeito ao significante, que se "produz no circuito que vai de s(A) a A para voltar de A a s(A)".[9] Ele insiste sobre a dissimetria desses dois pontos de cruzamento: A (o Outro) é um lugar (o lugar do tesouro de significantes) e s(A) é um momento: escansão — pontuação em que a "significação se constitui como produto acabado". Nesta matriz, o Outro, definido como lugar do tesouro do significante, exige que a completude da bateria significante seja instalada em A — o que é impossível porque o Outro é incompleto, faltando-lhe o significante que irá conferir o caráter de verdadeiro sobre o verdadeiro.

Lacan indicará esse Outro não mais como lugar do código, e sim como "sítio prévio ao puro sujeito do significante": o lugar da fala. O lugar de onde parte o dito primeiro que "decreta, legifera", conferindo ao outro real (a mãe, por exemplo) sua obscura autoridade e provocando o fantasma *(fantôme)* da onipotência do Outro em que se instala a demanda do sujeito.

O sujeito traz no traço unário a marca que o aliena "na identificação primeira que forma o ideal do eu" [I(A)]. É o que aparece no grafo seguinte, onde notamos uma mudança de lugar do sujeito em relação ao primeiro.

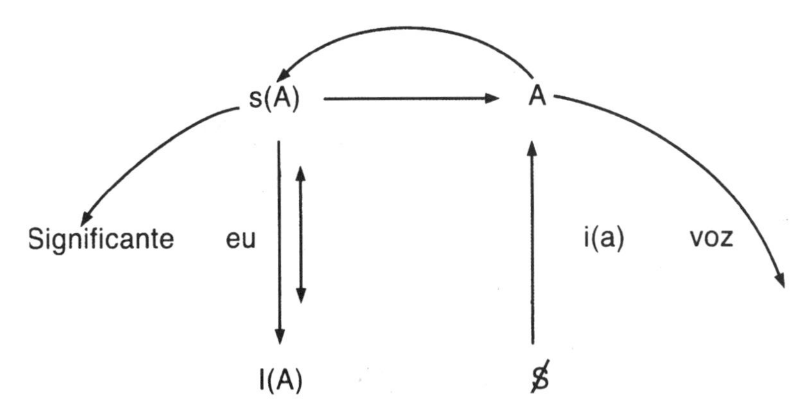

O analista vem, assim, "naturalmente" ocupar o lugar do Outro, pelo próprio endereçamento da fala do analisante na constituição da transferência. É ao analista como Outro que o sujeito vai endereçar suas demandas.

O analista, respondendo desse lugar, acentua a submissão do sujeito às suas identificações primeiras, conduzindo o analisante à idealização comandada por I(A) e ao desconhecimento de sua falta-a-ser que o ideal escamoteia.

Poderíamos pensar que é no intuito de evitar que o analista venha a ocupar esse lugar estrutural da onipotência do Outro que a IPA, numa tentativa vã, tenha proposto seu contrato pelo tempo cronometrado da sessão.

O tempo da sessão de análise não pode ser externo à experiência analítica, que é uma experiência de linguagem, como se ele fosse um Outro do analista, ao qual o analista estivesse submetido e do qual o analisante recebesse uma garantia contra seus caprichos.

Supor, então, que o analista é submetido ao tempo fixo é supor que existe um Outro do Outro. Ora, porque não podemos dizer qual é a significação da significação, por não haver o sentido final — por não existir um sentido absoluto, nem o que numa perspectiva hegeliana seria o Saber Absoluto — não existe, portanto, garantia nenhuma quanto a esse Outro: $S(\not{A})$. É incorreto dizer que existe um Outro do Outro porque ao Outro falta justamente um significante que possa responder por um *eu sou*. Não existe, ao nível da linguagem, um significante que seja um atributo qualquer que possa fixar o sujeito para todo o sempre, fixar aquilo que seria o seu ser. Não há um Outro, por mais institucionalizado que seja, que possa garantir a existência do Outro a quem endereço minhas demandas: não há a transferência da transferência nem tampouco o verdadeiro sobre o verdadeiro.[10]

Da mesma forma que não existe um Outro do Outro, não existe um Tempo do Tempo. E o que seria o Tempo do Tempo?

Se pensarmos na experiência analítica de tempo marcado, o tempo do relógio pode ser considerado como o Tempo do Tempo, esse Outro do Outro. Como o Outro é inconsistente, o tempo da análise, para sermos rigorosos, só pode ser um tempo intrínseco a ela mesma.

A escansão dos significantes pelo corte da sessão deve ir no sentido da desidentificação para promover a suspensão do jugo do sujeito àquele significante que a sessão escandiu.

O sujeito dirige, então, a sua fala ao Outro. Será por intermédio de sua resposta, como não-resposta à demanda que implica essa fala, que o analista fará surgir a dimensão do desejo, que se apresenta sempre como um enigma, uma questão: questão sobre um desejo que aparece como desejo do Outro.

Ao nível mais fenomenológico da experiência, se poderia formular uma questão como: "Por que ele me parou aí?" ou "Por que ele me cortou quando falei isso? O que falei de tão importante?" ou ainda "Será que eu estava sendo chato ou falando besteira?".

É, então, a partir do corte da sessão que vai surgir a dimensão do desejo como questão, o que aparece no grafo do desejo proposto por Lacan como *"Che Vuoi?"* ("Que Queres?").

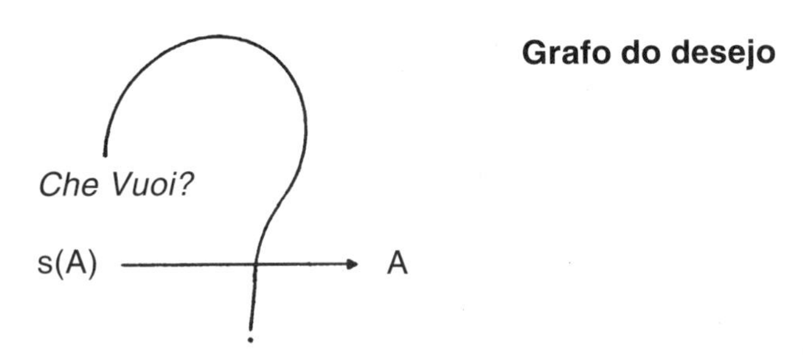

Grafo do desejo

Nesse sentido, o corte da sessão como escansão vai introduzir a dimensão do desejo inconsciente que surge como um enigma: função do desejo do analista, que se apresenta como um *x*, como uma incógnita a ser decifrada. Constatamos na clínica que, muitas vezes, a última frase ou palavra imediatamente emitida antes do corte da sessão fica insistindo fora dela, fazendo o analisante associar — o que coloca em funcionamento o deslizamento dos significantes também para fora da sessão analítica. Daí o corte da sessão ter uma função de interpretação como enigma levando à produção de significantes.

"Precisamos referenciar, diz Lacan, tudo à função do corte no discurso, o mais forte sendo o que produz a barra entre o significante e o significado. Aí se surpreende o sujeito que nos interessa."[11] A suspensão da sessão como corte visa a suspender as conexões habituais do significante e do significado, fazendo surgir o sujeito suspenso à pura dimensão significante daqueles significantes que o determinam.

Tempo de lógica

O segundo aspecto da dimensão temporal é articulado por Lacan "à necessidade da conjectura do tempo intersubjetivo para que a psicanálise assegure seu rigor". A questão do tempo conferirá, portanto, à psicanálise o seu rigor como ciência conjectural abrindo a perspectiva de um cálculo do sujeito.

Esse tempo será descrito no *sofisma dos três prisioneiros*, que aparece no artigo sobre o tempo lógico.[12] Lacan introduz aqui a função da pressa que será transportada para o interior da própria sessão de análise.

Vejamos o *sofisma*: Um diretor de uma prisão escolhe três prisioneiros e lhes diz que agraciará um deles com a liberdade. O agraciado será o vencedor de um jogo de adivinhação que lhes será proposto. Diz que há cinco discos: três brancos (○) e dois pretos (•) e que pregará um deles aleatoriamente às costas de cada um dos prisioneiros. Dito isso, o diretor da prisão prende os três discos brancos nas costas dos três prisioneiros, que sem conhecer cada um o seu, são soltos numa cela.

Prisioneiros	**Discos**
A	
B	o o o • •
C	

De fato: o o o (três discos brancos)

A (o); B (o); C (o)

O diretor diz, então, que aquele que sair primeiro da cela, justificando logicamente como chegou à conclusão da cor do disco preso em suas costas, será o vitorioso, obtendo a liberdade. Depois de um certo tempo, saem os três juntos (uma vez que se trata aqui de um apólogo, de um raciocínio lógico, pois, na verdade, só há um sujeito real). Digamos que quem sai é o prisioneiro A respondendo: eu sou branco, e eis como sei disso: porque vejo que B e C são brancos.

A justifica-se: pensei que se eu (A) fosse preto, cada um deles, transportando-me para o lugar de B e C e raciocinando como se fosse eles, logo reconheceria que são brancos e ambos sairiam. Como não o fizeram, concluí que não sou preto e sim branco.

Vejamos como se decompõe o raciocínio de A:

1) Se eu A fosse preto (•) e me ponho no lugar de B pensaria: se eu fosse preto o C veria dois discos pretos e sairia, concluindo logo que ele B é branco.

A (•)

(?) B

C (o)

2) Se eu A fosse preto (•) e me pusesse no lugar de C pensaria: se eu fosse (•), o B veria dois (•), concluindo que é (o) e sairia.

A (•)

(?) C

B (o)

Logo, como os dois não saíram, eu (A) só posso ser branco — acertando, assim, o sofisma.

Lacan diz tratar-se aqui de um sujeito de pura lógica; o que determina o julgamento do sujeito é a não-ação dos outros dois, o tempo de parada de B e C.

Lacan irá, então, decompor o sofisma em três momentos em que a instância temporal irá apresentar-se de um modo distinto em cada um, aparecendo assim a descontinuidade desses três momentos lógicos:

— *Primeira evidência do raciocínio*:

Estando-se diante de dois pretos, sabe-se que é um branco, ou seja: • • → o, lógica exclusiva e que tem o valor instantâneo de sua evidência. Descreve esse momento com um termo interessante: é o momento de fulguração, onde o tempo é igual a zero. Esse é o *instante de olhar*.

— *Segunda evidência do raciocínio*:

Trata-se do segundo momento em que se cristaliza propriamente uma hipótese, ou seja, o atributo ignorado do sujeito (aqui no sofisma: eu sou branco). Essa hipótese será formulada assim: "se eu fosse preto, os dois brancos que vejo não tardariam em se reconhecer como brancos". Esse é considerado o *tempo de compreender*, que supõe a duração de um tempo de meditação: o raciocínio de A que vem colocar-se no lugar dos outros e refletir. Assim, o tempo de compreender é dos outros. Lacan diz que esse tempo assim objetivado é incomensurável e que pode se reduzir ao instante do olhar. "A objetividade desse tempo vacila com seu limite."

— *Terceira evidência do raciocínio*:

"Apresso-me em afirmar-me como branco para que esses brancos que eu vejo não me ultrapassem reconhecendo-se como aquilo que são." Esse momento é chamado por Lacan de *momento de concluir*, que é, na verdade, o prosseguimento do tempo de compreender. Esta "sacação", que ressurge para ele numa reflexão — e que podemos fazer corresponder ao *insight* freudiano de um sujeito de pura lógica —, se apresenta subjetivamente como se fosse um tempo de atraso em relação aos outros, daí a pressa. Apresenta-se logicamente como a urgência do momento de concluir. Lacan descreve esse momento como uma iluminação que eclipsa a objetividade do tempo para compreender.

No sofisma, esse é o momento de concluir e agir. Se ele não concluir logo, poderá ser passado para trás pelos outros dois e não poderá mais vir a concluir que é branco, perdendo assim a vez. Se os outros saírem, ele não terá tempo para mais nada. É, portanto, na urgência do movimento lógico que o sujeito precipita seu julgamento e seu ato. Esta é a função da pressa.

Na asserção subjetiva (eu sou branco), o sujeito atinge a verdade desse atributo que lhe foi conferido e que é tão fundamental para a sua vida.

Como essa asserção será verificável? Ora, ela só poderá ser verificada na certeza, pois se o sujeito ficar na dúvida (sou branco ou sou preto?) não poderá jamais vir a constatá-la. Daí o termo proposto por Lacan de *certeza antecipada*, pois só se verifica nela mesma.

Nesse apólogo vemos que a motivação da conclusão é correlata à angústia; assim, se me apresso a concluir é pelo temor de que o atraso acarrete erro e que esse erro seja fatal para mim (no sofisma, eu ficaria preso por tempo indefinido). A angústia, que é esse afeto que não engana, traz em si a certeza.

No ato, trata-se de arrancar a certeza dessa angústia e é isso que está implicado no ato do momento de concluir.

Nesse texto de 1945, Lacan proporá um tipo de sujeito para cada momento.

1 — No *instante do olhar*, o sujeito em questão é o *sujeito* noético, *impessoal*. O sujeito da asserção é: sabe-se que há dois pretos, então, um será branco. Há um agente impessoal (sabe-se) nesse instante do olhar.

2 — No *tempo para compreender* o que está em questão (tal como vimos é o tempo que se abre no raciocínio de A, pensando como se fosse B e C) *é o sujeito indefinido, recíproco*, que aparece pareado, pois implica esses dois outros (os brancos que vejo). É introduzida aqui a dimensão imaginária do outro — esse outro enquanto pura reciprocidade, pois só um pode-se reconhecer no outro. Temos aqui, então, um sujeito indefinido, que é muito mais da ordem do eu imaginário, que se espelha no outro.

3 — No *momento de concluir*, o sujeito do enunciado — (eu sou branco) — coincide com o sujeito da enunciação. É aquele que se declara o que é.

Nesse texto, Lacan propõe esse três momentos lógicos como sendo o movimento lógico da gênese do sujeito. "Eu me apresso em me afirmar como branco" — momento que marca a constituição do sujeito.

O que nos interessa para o nosso tema é a estrutura dessa certeza antecipada que existe na asserção em que o sujeito se declara. O que constitui a singularidade do ato de concluir na asserção subjetiva é ele antecipar a certeza devido à tensão temporal presente na situação. A pressa tem a função de precipitar esse ato de declaração.

O sujeito apreendeu o momento de concluir (que ele é branco) diante da evidência subjetiva de um tempo de atraso que o apressa a sair. Se ele, como diz Lacan, não apreender esse momento, ficará, diante da evidência objetiva da saída dos outros, com a conclusão errada de que é preto.

O encurtamento da sessão, tal como Lacan teoriza, não visa outra coisa senão precipitar no sujeito o momento de concluir, para que o sujeito se declare. De fato, a análise nos ensina que *a pressa é amiga da conclusão.*

O tempo do neurótico e a pressa de concluir

A introdução na sessão analítica da estrutura temporal da certeza antecipada define o tempo na análise como contraponto do tempo do neurótico. Não é à toa que os neuróticos reclamam tanto das sessões curtas. O drama de Hamlet nos revela a dificuldade do neurótico em agir: é sempre tarde demais ou ainda não é chegada a hora.

A questão do tempo no neurótico está associada à estrutura de seu desejo, na medida em que este é marcado por seus impasses: desejo insatisfeito na histeria, desejo impossível na neurose obsessiva. "Mas há, diz Lacan, para além desses dois termos, uma relação inversa num caso e no outro com o tempo — o obsessivo posterga, porque sempre antecipa tarde demais, enquanto que o histérico repete sempre o que há de inicial em seu trauma, ou seja, um certo cedo demais, uma imaturidade fundamental."[13]

Para o neurótico, nunca é chegada a "hora da verdade" de seu desejo: há sempre uma fuga, uma vacilação, uma escapulida, uma procrastinação. Se o neurótico está sempre perdendo a hora é por estar suspenso à hora do Outro — o que é correlato ao seu desejo de estar suspenso ao desejo do Outro: o neurótico deseja enquanto Outro.

O obsessivo, como o escravo da dialética hegeliana, se encontra no momento antecipado da morte do mestre a partir da qual ele viverá... esperando.[14] "Estou esperando a morte de meu avô — dizia-me um analisante — para que a história recomece" — fazendo assim aparecer sua posição de petrificação na espera da morte do Outro. Avô que se apresenta para o sujeito como mestre de seu desejo, suspendendo-o na dúvida e na procrastinação para remeter esse desejo ao impossível de sua realização, numa infinitização do tempo de agir.

Na fantasia histérica do trauma, o Outro seduziu o sujeito aproveitando-se de sua imaturidade e ele não pôde reagir, sendo vítima do desejo do Outro. Mas é o sujeito histérico quem seduz para — quando é chegada a "hora da verdade" — furtar-se como objeto e manter seu desejo sustentado pela insatisfação.[15] É essa relação do sujeito em relação ao desejo do Outro que trará sua marca às dificuldades do neurótico com o tempo.

"No neurótico, diz Lacan, a demanda do Outro toma a função de objeto em sua fantasia."[16] Na experiência analítica, a questão do tempo é situada pelo neurótico no registro da demanda. A interrupção da sessão é vivenciada como um não à sua demanda — que é sempre demanda de presença —, correspondendo ao tempo que lhe é negado: nunca é suficiente. A histérica procurará provocar a falta no Outro com seus atrasos e suas faltas. O obsessivo se esmerará no trabalho de analisante para melhor seguir o tempo do Outro, revoltando-se violentamente contra esse Outro desrespeitador de um tempo suposto uniforme, cujos caprichos e cuja tirania aparecem na figura do Pai gozador do mito freudiano de *Totem e Tabu*.

No decorrer da análise, constata-se que essa queixa é sobrepujada pelo alívio causado pela queda das identificações, já que o corte da sessão aponta sempre para a falta: falta-a-ser do sujeito; falta de um significante que diga o que ele é — o que o sujeito declara ser nunca é suficiente. É sob a tensão da pressa que se realiza o que se tem a fazer. Estamo-nos perguntando sempre por que deixamos tudo para a última hora. É justamente a última hora, a pressa, que nos faz agir.

Tudo o que é da ordem da criação, diz Lacan, se dá na descontinuidade e sob o império da urgência. Há, então, uma desvalorização do tempo para compreender e uma valorização do tempo para concluir, que será o momento de concluir o tempo para compreender, que será reduzido a tão pouco quanto à fulguração do instante do olhar.

O apólogo dos três prisioneiros mostra a interdependência da ação dos indivíduos, ou seja, que a ação de um se ordena à ação do outro, desvelando, segundo Lacan, a própria lógica da psicologia das massas. Estando o neurótico suspenso ao tempo de Outro, é a ação e a não-ação daquele que ocupará este lugar que provocará sua decisão em declarar-se na produção de significantes por intermédio da certeza antecipada. A questão para Lacan é como o analista pode através de suas intervenções cortar as hesitações do sujeito e precipitar um efeito de verdade.

A prática das sessões curtas implica, portanto, dois aspectos: a análise não se reduz em absoluto, ao tempo das sessões, mas é um processo contínuo, em que a sessão é descontinuidade, pontuação, ruptura no discurso; inscrevendo-se a sessão no processo analítico como um corte, o analista é o depositário das elaborações e associações que o paciente faz fora da sessão.

Assim, a elaboração se situa fora das sessões e é uma tarefa do analisante. Lacan usou várias expressões para se referir a essa função do analista — papel de gravação, testemunha, depositário, referência, guardião, tabelião, escriba.[17] Pontuar, cortando o discurso do analisante, pode constituir o analista como mestre da verdade, mas não como mestre da situação, já que, ao causar uma ruptura, faz com que a ordem da elaboração caiba ao analisante — atentando, portanto, ao sujeito suposto saber encarnado pelo analista.

Ao se entrar numa sessão sem saber quanto tempo ela durará, se está sob o impacto da pressa, o que precipita o momento de concluir. Este primeiro aspecto, ligado à cadeia de significantes, é correlato ao desejo e vinculado ao enigma e ao sentido. É o aspecto que diz respeito ao sujeito determinado pelo significante.

O segundo aspecto está relacionado ao ato, que está fora do significante e se relaciona ao *objeto a*. É a esse aspecto de ato, presente no corte da sessão, que podemos associar a técnica zen, à qual Lacan se refere em *Função e campo da fala e da linguagem*, quando aborda a questão do tempo lógico.

A técnica zen

A utilização do "tempo lógico" na análise se alia à técnica zen com a qual Lacan o compara. O procedimento das sessões curtas tem, diz ele, um "sentido dialético preciso em sua aplicação técnica. E não fomos os únicos a ter feito a observação de que ele se encontra, no limite, com a técnica designada com o nome de Zen e que é aplicada como meio de revelação do sujeito na ascese tradicional de certas escolas do Extremo-Oriente".[18]

O objetivo do Zen é levar o sujeito ao Satori: experiência espiritual de revelação, iluminação. É uma experiência súbita que é descrita como uma "reviravolta da mente", onde há uma vivência de total libertação caracterizada pela certeza. "Se houver a menor incerteza, o menor sentimento de 'isto é bom demais para ser verdadeiro', então o Satori é apenas parcial, já que ainda implica um desejo de se apegar à experiência, senão ela seria perdida e até que esse desejo seja ultrapassado, a experiência não poderá ser completa."[19]

A experiência zen é descrita pelo mestre Hui-neng: "ver dentro de sua natureza-própria", que, sendo coisa alguma, não é. "Ver dentro da natureza-própria é, portanto, ver dentro do nada."[20] Ela se reduz ao instante de olhar, que aqui não é vinculado à ação, mas à falta absoluta de representação.

Trata-se de uma experiência que é sempre descrita por seu caráter abrupto, de subitaneidade, em que o sujeito se encontra diante do *vazio de todas as coisas*. "Isso não resulta de raciocínio, diz D.T. Suzuki, mas acontece justamente quando se desiste dele, quando se percebe que ele de nada adianta e quando, psicologicamente, esgotou-se toda a força da vontade."[21]

O que é visado na doutrina zen é algo que poderíamos situar como o que está fora da cadeia significante do pensamento tanto consciente quanto inconsciente. Essa doutrina é indissociável da técnica zen que vai consistir no meio utilizado pelo mestre de levar o discípulo ao abandono, à libertação da cadeia significante — o que seria a tentativa de buscar a libertação do sujeito dos significantes que o determinam. Num encontro com um budista erudito, que buscava uma resposta a uma questão do mestre Yen-kuan Ch'i-an, este lhe interrompeu os pensamentos e disse: "o pensamento deliberado tanto quanto a compreensão discursiva de nada valem; eles pertencem a uma casa mal-assombrada; são como uma lâmpada em plena luz do dia; não proporcionam qualquer luz."[22]

O que interessa a Lacan no Zen é menos a vivência dessa experiência de iluminação, também chamada de despertar, do que a técnica empregada para alcançá-la. É com esta, e não com a ascese mística, que ele compara o procedimento das sessões curtas.

Nos exemplos de Lacan, é ressaltada a intervenção do mestre quando de seu encontro com o discípulo: "o mestre Zen interrompe o silêncio com qualquer coisa, um sarcasmo, um pontapé"; "o que há de melhor no budismo é o Zen, e o Zen consiste nisso: te responder com um latido, meu caro amigo".[23]

Os mestres antigos do Zen encontraram um método de transmitir seus ensinamentos que não pode ser explicado: o *koan*, que significa literalmente "documento oficial". *Koan* é um problema, absurdo ou paradoxal, formulado sob a forma de questão, que o mestre coloca para o discípulo de Zen resolver.

Exemplos: "Um som é produzido quando batemos palmas. Que som é produzido quando batemos palmas com uma só mão?"[24] "Qual era o seu rosto original — aquele que você possuía antes de nascer?"[25]

A partir dessa colocação, o discípulo, através da meditação sobre o *koan*, procurará a sua significação colocando em circulação todas as associações provocadas por essa busca. De tempos em tempos, ele terá entrevistas com o mestre que verificará como está o seu processo de deciframento.

Essas entrevistas são caracterizadas por sua brevidade tanto no tempo como no diálogo, durante os quais o discípulo, depois de intensa elaboração, chega a uma formulação extrema de sua situação atual. A resposta do mestre pode levar ao relâmpago da iluminação quando o discípulo constata que sua mente e seu corpo foram varridos da existência junto com o *koan*. Isto é conhecido como "largar o ponto de apoio."[26] Trata-se finalmente de chegar à constatação de que o *Koan* é desprovido de sentido. Mas, na maioria das vezes, essa intervenção induz no discípulo a perplexidade, a hesitação: é aqui que se situará a intervenção do mestre, quebrando o silêncio com qualquer coisa e suspendendo a entrevista. Esse ato do mestre como, por exemplo, o ato de dar um pontapé é, segundo Suzuki, "realmente o ato de ver, porquanto ambos brotam da natureza-própria e a refletem. Uma vez reconhecida essa identidade, o ato ganha um desenvolvimento sem fim; não há somente o pontapé, mas o tapa, o bofetão, o empurrão, o berro, etc., como se pode encontrar na literatura zen."[27]

Lacan adverte que o analista não deve chegar a essas intervenções extremas: preconiza uma "aplicação discreta" do princípio da técnica zen na análise, pois esta lhe parece "mais admissível do que certos modos ditos de análise das resistências, na medida em que ela não comporta nenhum perigo de alienação do sujeito".[28]

Essa observação é uma advertência contra o faz-de-conta no ato psicanalítico: a atuação do analista que quer imitar um suposto e anedótico Lacan mestre Zen.[29]

As atitudes do mestre apontam sempre para o não-sentido, para fora do significante, para o nível de algo da ordem do real, e não da ordem do deciframento, que ele presentifica com seu ato.

A presença do analista

A analogia da entrevista zen com a sessão analítica nos leva a considerar a interrupção desta como uma modalidade em que *o analista vem fazer-de-conta de objeto a**, em que ele é ativo dentro dessa estrutura paradoxal do ato psicanalítico que subverte o sujeito; o objeto faz parte dessa estrutura sendo, no entanto, exterior à linguagem.

O *objeto a* é aquele objeto que, estando fora da cadeia significante, a orienta. É o objeto que sustenta a metonímia do discurso, de significante em significante. É o objeto que dá a característica do desejo como "sendo sempre desejo de outra coisa", objeto que rola na cadeia e que só pode corresponder ao intervalo significante (ou seja, ao que está entre os significantes).

(a)
S — S' — S" — S'''

O *objeto a* tem em si a estrutura do corte, assim, um objeto só pode ocupar a função de *objeto a* se é passível de ser recortado da superfície do corpo, adquirindo valor de objeto destacado, perdido. "Observemos que esse traço de corte (Lacan se refere ao que caracteriza

* *Faire semblant*: fazer-de-conta ou bancar.

a zona erógena que a pulsão isola) não é menos prevalente no objeto, como a teoria analítica descreve: mamilo, cíbalo, falo (objeto imaginário), fluxo urinário (lista impensável se acrescentarmos o fonema, a voz — o nada), pois não se vê que o traço parcial — a justo título ressaltado nos objetos — não se aplica apenas ao fato de eles fazerem parte de um objeto fatual que seria o corpo, e sim por representarem apenas parcialmente a função que os produz."[30]

Sabemos que a partir do seminário sobre a angústia, Lacan reduzirá a quatro as modalidades do *objeto a*: objeto oral, objeto anal, olhar e voz — objeto real fora da cadeia significante.

O corte da cadeia significante, que representa a suspensão da sessão a partir da trama do discurso do analisante, será equivalente à presença do analista, presença essa como "faz-de-conta" de objeto *a*, objeto opaco, que resiste à representação.

A relação entre a presença do analista e a interrupção do discurso do analisante — manifesta no exemplo do mestre interrompendo o silêncio do discípulo — é apontada por Freud como a manifestação da transferência. Essa situação se verifica quando da aproximação do núcleo patogênico, onde a resistência se faz nitidamente sentir: "Quando algo, dentre os elementos do complexo, é suscetível de se referir à pessoa do médico, ocorre a transferência; ela produz a associação seguinte e se manifesta sob a forma de resistência, de uma interrupção das associações, por exemplo."[31] Esse trecho é amplamente comentado por Lacan, salientando o aspecto da realização da transferência como atualização da presença do analista,[32] cuja brusca percepção fora do âmbito dos sentidos é freqüentemente acompanhada de angústia, demonstrando a presença do *objeto a*. O corte da sessão é da ordem da interpretação na medida em que visa o objeto causa do desejo.

A suspensão da sessão pela intervenção do analista visa à atualização da transferência, não como repetição significante (*automaton*) em que o analista vem ocupar um lugar na série das figuras do Outro do sujeito, e sim como encontro (*tykhe*) por definição fracassado que constitui o âmago do núcleo patogênico — o *objeto a*. É essa presença física do analista que permite haver análise, dado que esta, segundo Freud, é impossível *in absentia* ou *in effigie*.

Com o seu movimento do corte da sessão, o analista testemunha a função do *objeto a* como agente da certeza antecipada do tempo lógico.

Na prática, o efeito de surpresa, de perplexidade ou de qualquer outro tipo de reação, nada mais indica senão a divisão do sujeito (a → $).

A função da pressa, diz Lacan, "é esse pequeno *a* que a tetiza", ou seja, que transforma a pressa da situação dos três prisioneiros em julgamento tético, aquele que se coloca de maneira absoluta independentemente de outras asserções. Ele reinterpretará, então, o sofisma do tempo lógico não mais a partir da subjetividade, mas a partir do objeto *a*: "o que mereceria ser olhado mais de perto é o que suporta cada um dos sujeitos, não em ser um entre os outros, mas em ser, em relação aos dois outros, aquele que está em jogo no pensamento deles. Cada qual só intervindo neste termo a título desse objeto *a* que ele é sob o olhar dos outros".

"Em outros termos, continua Lacan, eles são três, mas na realidade são dois mais *a*. Esses dois mais *a*, no ponto de *a*, se reduz, não aos dois outros, mas a Um mais *a* [...] Na medida em que, pelo *a* minúsculo, os dois são tomados como Um mais *a*, é que funciona o que pode ocorrer como uma saída na pressa."[33]

Lacan se esforça nesse *Seminário XX* em mostrar que Um não é o Outro, que há uma autonomia do significante (S1) em relação ao conjunto de significantes (S1-S2) e que há uma antinomia entre o S1 e o objeto *a* (no apólogo o olhar do Outro). O Um em questão no apólogo indica que só há um sujeito sendo empurrado pela pressa de agir do objeto *a* (a → $).

A suspensão da sessão, realizada pelo analista em seu ato, é uma maneira de "fazer-de-conta" de *objeto a* — ato que remete ao conceito de ato analítico desenvolvido por Lacan em 67/68, como o momento de fim de análise. É por ter rodado e rodado por seus significantes em busca daquele que lhe diria o que é sem tê-lo encontrado, que o analisante poderá buscar a certeza no outro pólo da estrutura — que é esse objeto — onde se encontra a designação de seu ser como objeto tal como está explicitado em sua fantasia ($ ◊ a).

É somente após esta passagem — momento de passe na análise — de se experimentar como objeto que, no momento de concluir, o analisante vira analista. É por ter feito essa passagem em sua análise que o analista poderá dirigir as análises de seus analisantes para esse ponto fora do significante.

A certeza que implica o ato analítico só é possível do lado do objeto, devendo o analista levar o analisante a esse ponto de certeza, onde se encontra o seu ser, cuja consistência é apenas lógica, dado que a psicanálise não é uma ontologia. O paradoxo da psicanálise consiste em chegar a esse ser pela via da linguagem: ele é o que resta do processo como impossível a ser dito.

O corte da sessão, ao equivaler-se ao corte da cadeia de significantes, faz surgir, portanto, a dimensão desse intervalo entre os significantes, constituindo essa suspensão da sessão em uma escansão — no próprio sentido de sublinhar, acentuar, frisar — não do significante, e sim de seu intervalo, apontando para o não-sentido e para a falta no Outro, lá onde pode presentificar-se o objeto como referente.

A suspensão da sessão contém um aspecto paradoxal: se o analista ao pontuar o final da sessão aparece como mestre da verdade, por outro lado, abrindo o intervalo entre os significantes aponta para um furo que, tal como um furo num tonel, o esvazia de sentido. O corte da sessão, pela intervenção do analista com sua presença no discurso do analisante, faz aparecer essa dimensão do fora do significante, ou seja, do objeto em torno do qual pivoteiam todas as suas representações.

A presença do analista, com seu corte interrompendo o desenrolar sem fim da cadeia significante, inclui em si mesma a estrutura que vai permitir a finitude da análise, arrancando o sujeito de uma temporalidade infinita. O final da análise é assim incluído a cada sessão.

Capítulo IV
Capital e libido

The French are glad to die for love
They delight in fighting duels
But I prefer a man who lives
And gives
Expensive jewels
A kiss on the hand
May be quite continental
But diamonds are a girl's best friend
A kiss may be grand
But won't pay the rental
Of your humble flat
Men grow alive cold
Girls grow old
And you are losing your charm in the end
But square or pear-shaped
Those rocks don't lose their shape.

Diamonds are a girl's best friend,
do filme Os homens preferem as louras

O título *Capital e Libido* foi-me inspirado pelo livro de Betch Cleinman *Capital da Libido*, cujo subtítulo é *Os Estados Unidos em Marilyn Monroe.*[1] Trata-se de uma publicação realizada a partir de uma tese em cinema e história, em que a autora se propõe a mostrar, com base na análise dos filmes de Marilyn Monroe, qual a ideologia que seus personagens tentam passar para o público do pós-guerra — época justamente do grande desenvolvimento da psicanálise no mundo a partir dos Estados Unidos. Este é o momento de um dos grandes desvios da psicanálise apontados por Lacan, ou seja, o de uma psicanálise em que são favorecidos o ego e a adaptação à realidade em vez das formações do inconsciente e de sua decifração. Trata-se da chamada Psicologia do Ego, cujos principais representantes são: Hartman, Kris e Loewenstein. Nessa psicanálise adaptativa, correlata à sociedade florescente onde o *American way of life* determina o *human engineering*[2], é solidificado o mote *time is money* (tempo é dinheiro).

Capital e libido

O título desse livro conjuga dois significantes: *Capital*, no sentido de cidade mais importante do país, o centro administrativo, e *libido*, na acepção latina de vontade, desejo. A capital da libido é ironicamente Hollywood, e é Marilyn Monroe quem a representa paradigmaticamente para além dos personagens ingênuos dos filmes de humor bem-comportado. E nessa capital, a libido é o capital.

A frase que se pode colocar como subtítulo de uma conferência sobre o dinheiro em psicanálise é aquela que representa o capital da libido: *Diamonds are a girl's best friend* (O melhor amigo de uma mulher são os diamantes).

O diamante como melhor parceiro do sujeito revela que este parceiro nada mais é do que um objeto no qual o capital de sua libido está investido: o objeto di-amante. Marilyn Monroe, fabricada por Hollywood, bem como a experiência psicanalítica, mostra que a libido é contabilizável.

A psicanálise nos desvela que, de fato, o capital é tratado pela libido do sujeito. Mas, o capital só é libido se esta for contabilizada e, como veremos, ela o é.

O *time is money*, que evidencia a contabilização do tempo do trabalho, escamoteia a libido em causa — o gozo desvelado por Marx com o conceito de mais-valia. Com Freud, podemos dizer que capital é libido.

A libido é definida por Freud como energia, como a grandeza *quantitativa* — apesar de incomensurável — das pulsões que se referem a tudo o que podemos entender sob o nome de amor;[3] é a "manifestação dinâmica na vida psíquica da pulsão sexual".[4] Essa definição de Freud vai além de sua definição anterior, proposta a partir de *Introdução ao Narcisismo*, que se refere à partição da libido em libido do ego e libido de objeto. Ela concerne explicitamente à pulsão indo além de sua concepção metapsicológica, ou seja, sua representação no inconsciente.

Na *Metapsicologia*, Freud desvela que no inconsciente só se encontra da pulsão a *Vorstellungsrepräsentanz*, o representante representativo da pulsão, o que da pulsão é da ordem do significante, tal como se pode ler no matema da pulsão o ($ ◊ D) onde (D) se refere aos significantes das demandas orais, anais, etc. relativos às pulsões correspondentes. Mas a grandeza quantitativa da pulsão que é a *libido* não tem representação no inconsciente.

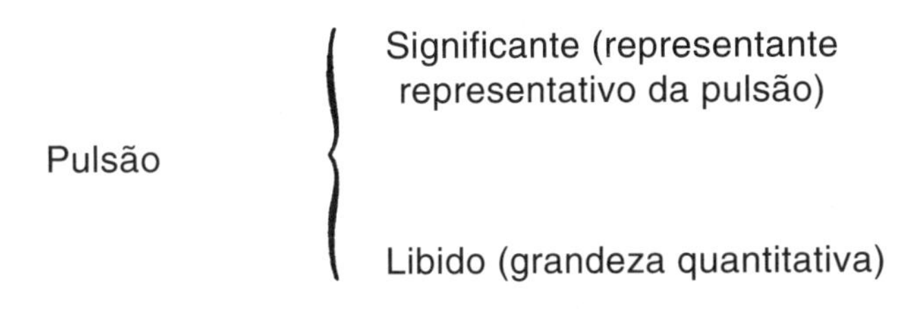

A libido é o que se apreende em sua "manifestação dinâmica" como *Befidrigung* (a satisfação) — satisfação que aparece tanto no sonho como no sintoma bem como, em seu clímax, na própria alucinação, trazendo paradoxalmente desprazer ao sujeito. A satisfação da pulsão entendida como satisfação plena, e que a extinguiria ao atingir seu objetivo, é impossível, pois o objeto que poderia satisfazê-la é perdido desde e para sempre. A pulsão só pode satisfazer-se parcialmente a nível sexual. Devido a essa impossibilidade, a pulsão encontra derivações (denominadas por Freud de vicissitudes ou destinos) ordenadas pela rede de significantes que constitui o conjunto dos representantes da representação da pulsão no inconsciente. Daí a pulsão se satisfazer, por exemplo, no sintoma, no sonho, na sublimação. Essa característica da plasticidade da pulsão faz com que Lacan a denomine *deriva*, no sentido de derivativo da satisfação sexual direta e também no sentido de estar à deriva. O gozo é o conceito que Lacan propõe para abranger os conceitos freudianos de libido e *Befidrigung* que não têm representação inconsciente.

Os significantes da pulsão são os que constituem, por exemplo, a demanda oral ao Outro (o famoso modelo do bebê pedindo peito à mãe) e a demanda anal do Outro (o não menos famoso modelo da mãe pedindo as fezes ao bebê) que são atualizadas de diversas formas na transferência durante uma análise pela demanda de amor, de interpretação e pelo dinheiro. O que é efetivamente sexual no homem é o que é marcado pela significação fálica. O falo como faltante, ou seja, a castração simbólica, dará às pulsões oral, anal, etc. sua característica sexual. Mas se o que recebe a significação fálica pode ser representado no inconsciente sob a forma de significante, há sempre um gozo em causa, que é propriamente falando a energia pulsional, sua "grandeza quantitativa" denominada por Freud de libido.

A pulsão sexual tem, portanto, dois aspectos: sua representação inconsciente e sua manifestação dinâmica, ou seja, a libido, que Freud, indo contra Jung, sempre considerou em sua natureza sexual.

Nem tudo, portanto, da pulsão está articulado ao significante. Há um resto que é, propriamente falando, o objeto causa de desejo para o qual a pulsão se dirige sem, no entanto, atingi-lo, conseguindo apenas contorná-lo. É o que Lacan designou por objeto *a*, que não pode ser explicitado pela pulsão sexual, por não ter representação psíquica, sendo implícito a ela: é o objeto condensador de gozo.

São os significantes da demanda representativos da pulsão que são recalcados e cifrados no inconsciente. Para que o processo analítico seja o de deciframento é necessário postular que algo já se encontra cifrado. Esse aspecto da pulsão é o que faz com que o sintoma seja analisável, por ser da ordem da linguagem e, como tal, uma formação do inconsciente.

A libido é o que se satisfaz no sintoma, é o que constitui sua resistência sob dois aspectos: resistência ao deciframento e resistência do sujeito a abandonar o seu sintoma, o gozo do sintoma.

Ora, o dinheiro na análise encontra-se exatamente nessa conjunção entre o que é da ordem do ciframento e o que é da ordem dessa energia quantificável que tem um valor inestimável para o sujeito e que Freud designou como libido. Assim, o dinheiro pode permitir amoedar esse capital do sujeito que é a libido. Se o que é da ordem do ciframento pode equivaler, no nível do inconsciente, à própria cifra (montante das operações comerciais), podemos fazer um paralelo e dizer que, na análise, a cifra, assim como o cifrão, vem representar o montante das operações libidinais.

Capital, valor e dinheiro

"Capital, segundo o dicionário *Le Littré*, é o conjunto de meios de satisfação resultante de um trabalho anterior; é o fruto de um trabalho." Em sua acepção corrente, capital é o conjunto das riquezas possuídas e, no sentido figurado, é o conjunto de bens (intelectuais, espirituais ou morais) que um indivíduo ou um país possui.

A moeda, ou seja, aquilo que por excelência tem valor de troca, se acumula ou se dispersa e pode funcionar como metonímia desse capital (como parte deste) ou como metáfora (o que vem substituir esse capital, representando-o).

"O capital, diz Marx, aparece como uma fonte misteriosa, criadora de lucro e fonte de seu próprio crescimento. A coisa (dinheiro, mercadoria valor) enquanto tal já é do capital, e o capital se revela como uma simples coisa." O capital é o móvel do trabalho. A relação proposta por Marx entre capital e trabalho estabelece a vinculação entre o dinheiro, o objeto-fruto do trabalho e sua posse: "Todas as forças produtivas do trabalho social se apresentam como sendo as do capital, da mesma maneira que a forma social do trabalho em geral aparece no dinheiro como a propriedade de uma coisa."[5] O que confere valor a um objeto é o *quantum* de trabalho ou o "tempo de trabalho necessário, numa sociedade dada, à produção de um artigo". Assim, o *time is money* condensa essa definição marxista.

A diferença entre o valor atribuído ao trabalho abstrato e o valor de uso, correspondente ao trabalho concreto, equivale à exploração do trabalho: a mais-valia ou o benefício de um sobretrabalho que não é pago. No nosso sistema, é esse valor que sobra como resto da equação *time = money*, valor que é extraído ao trabalhador. O *time is money* do capitalismo escamoteia a mais-valia, pois dissimula que há um *time* que não é *money*, ou seja um tempo não contabilizado.

A mais-valia como "grande segredo da sociedade moderna" nos é desvelada por Marx como regendo as relações do capitalista com o proletário: é um "a-mais" que escapa à equação valor = tempo de trabalho. "A produção da mais-valia é, portanto, apenas a produção de valor prolongada para além de certo ponto. Se o processo de trabalho só dura até o ponto em que o valor da força de trabalho pago pelo capital é substituído por um equivalente novo, há aí a simples produção de valor; quando ele ultrapassa esse limite, há produção de mais-valia."[6]

O dinheiro, para Marx, se troca pela totalidade do mundo objetivo do homem e da natureza. Ele serve para trocar tudo e qualquer coisa, possuindo a qualidade de tudo comprar e de tudo se apropriar. O dinheiro é o objeto privilegiado da posse.

Porém, o que se troca verdadeiramente é a falta-de-gozar. O objeto de troca é, simultaneamente, aquilo de que um dos parceiros da troca pode gozar, mas não quer gozar — pois seu valor de uso não o satisfaz e por isso quer desfazer-se dele —, e aquilo que o outro parceiro quer, mas dele não pode gozar, pois seu valor de uso lhe falta por não possuir o objeto. Donde para ambos os parceiros o valor da troca de uma mercadoria é uma falta-de-gozar.[7]

Todas as mercadorias podem ser trocadas umas pelas outras. Aquela que está excluída do conjunto das mercadorias se torna o "equivalente geral" para todas elas e dessa posição de exceção constitui as mercadorias em um conjunto. "O equivalente geral, o dinheiro, se torna então o representante universal da falta-de-gozar."[8]

A mais-valia que é produzida pela sobrecarga de trabalho na prolongação da duração da jornada do proletário é um mais-de-gozar para o Outro. Ela é a "causa do desejo da qual uma economia faz o seu princípio: aquele da produção extensiva, portanto insaciável, da falta-de-gozar".[9]

O dinheiro é o que sempre falta, aquilo de que nunca se tem o suficiente. Isto faz Lacan dizer que o rico é inanalisável, já que para ele nada falta, podendo tudo obter.

Mais-valia na análise

Na psicanálise, o trabalho, como por exemplo o do sonho, o da perlaboração, é o trabalho do significante sobre o gozo, ou seja, a significantização desse gozo. Qual é o produto desse trabalho que corresponde ao trabalho de ciframento?

O trabalhador comum age sobre a matéria bruta produzindo um objeto que será de alguém. A partir da psicanálise, coloquemos a questão: "O que é, o que é: o sujeito só pode dele desfrutar com a condição de não possuí-lo?"

A resposta é o *objeto a*, produto do trabalho do significante sobre o gozo que só vai funcionar como objeto mais-de-gozar enquanto objeto perdido. O *objeto a* — o objeto propriamente da pulsão — é função da renúncia ao gozo. Ao tomarmos como modelo o trabalhador e a dialética do senhor e do escravo, o *objeto a* é função da renúncia ao gozo sob o efeito não da ordem do patrão, mas da ordem do discurso.

Resumindo, temos:

$$\frac{\text{Linguagem}}{\text{gozo}} \longrightarrow a$$

O *objeto a* é o efeito da linguagem sobre o gozo, o que pode ser escrito, segundo a fórmula proposta por Jacques-Alain Miller: $\frac{A}{J} \rightarrow a$ (onde A se refere ao Outro e J ao gozo). A metaforização do gozo tem como produto um resto que é o *objeto a*. O trabalho de ciframento do gozo pelo significante contém uma mais-valia não contabilizada: o objeto *a* dito objeto mais-de-gozar. A análise, além de seu trabalho de deciframento, deve levar esse processo de ciframento às últimas conseqüências: "Fazer passar o gozo ao inconsciente, isto é, à contabilidade",[10] ou seja, tudo dizer até não se poder mais. Dos ditos na experiência psicanalítica sobra um resto impossível de ser cifrado, o *objeto a*, objeto sem substância, o produto final do processo analítico. "O objeto *a* é certamente um objeto, mas só na medida em que é substituído definitivamente por toda noção em que o objeto é suportado por um sujeito. Se ele é particularmente produto do saber, está excluído que ele seja submetido ao conhecimento. Tão logo se manifesta, ele não é mais do que um reflexo já esvanecido."[11]

Na tentativa de mapear a questão do dinheiro, tomemos ainda a estrutura dos quatro discursos:

$$\frac{\text{[o agente]}}{\text{[a verdade]}} \qquad \frac{\text{[o outro]}}{\text{[a produção]}}$$

Temos um agente que, embasado numa verdade, agirá sobre alguém para se obter uma produção.

Se tomarmos o *Discurso do Mestre* teremos: um agente, que chamaremos de patrão (ou senhor), S1, agirá sobre S2, o escravo fazendo-o trabalhar. Teremos como produto o objeto *a* que terá um valor (a mais-valia) a que o escravo renuncia para o gozo do senhor como sujeito.

Discurso do Mestre:

$$\frac{S1}{\$} \longrightarrow \frac{S2}{a}$$

Lacan identifica esse Discurso do Mestre ao discurso do próprio inconsciente que é uma cadeia de significantes de cuja existência só tomamos conhecimento através de suas formações (chistes, jogos de palavras, sonhos e sintoma). Essas formações do inconsciente "falam" sobre a verdade do sujeito do desejo — onde há formação do inconsciente há um efeito de sujeito. Isso tem como produto uma mais-valia (um mais-de-gozar), evidenciada no chiste, no gozo produzido na gargalhada e também no sonho na medida em que é realização de desejo — *Wunscherfullung*. O inconsciente é um operário que funciona *full time*: é o trabalhador ideal.[12]

O inconsciente é esse trabalhador incansável que mesmo quando dormimos trabalha. É o trabalhador que o capitalismo considera ideal: não pensa, nem julga, nem calcula, só trabalha. Quem calcula e conta é a libido, ou seja, o gozo em seu processo de ciframento.

A análise situa esse objeto mais-de-gozar na função de agente para que $ produza os significantes primordiais (S1) que o alienam como sujeito, tendo este laço social o saber depositado na experiência como a sua verdade.

Discurso analítico:

$$\frac{a}{S2} \quad \frac{\$}{S1}$$

No mercado de trabalho, Marx mostra a função da mais-valia, traduzida por Lacan como renúncia ao gozo. Essa renúncia vai aparecer na função do mais-de-gozar do *objeto a*. Nesse mercado do Outro, há um mais-de-gozar que se estabelece e será captado por alguns. A posse de alguns é função da renúncia ao gozo por outros.

Lacan se refere ao *objeto a* enquanto perdido, objeto renunciado, sendo, no entanto, um mais-de-gozar. Porém, mais-de-gozar para quem? Será para o Outro? Podemos dizer que sim, uma vez que a fantasia que explica a relação do sujeito com esse objeto é uma resposta ao desejo como desejo do Outro. De uma certa forma esse *objeto a*, objeto da pulsão, é sempre um objeto do Outro, na medida em que o sujeito o supõe ser do Outro. O processo da análise pretende levar o sujeito a saber que esse Outro tampouco detém o objeto que lhe escapa, pois o Outro é furado.

Esse rápido panorama mapeia nossa entrada no assunto propriamente dito. Tendo como tese geral *capital é libido*, assim como libido é capital, o dinheiro é aquilo que, na análise, pode vir a representar esse ciframento do gozo.

Necessidade, demanda e desejo

Eis o que nos diz Freud sobre essa quarta condição da análise, o dinheiro em "O início do tratamento": "o próximo ponto a ser decidido no início do tratamento é o do dinheiro, dos honorários do médico. Um analista não discute que o dinheiro deve ser considerado, em primeira instância, como meio de autopreservação e de obtenção de poder, mas sustenta que, ao lado disto, poderosos fatores sexuais acham-se envolvidos no valor que lhe é atribuído". Esta frase de Freud condensa todas as questões do dinheiro, podendo nos servir de guia em sua abordagem.

Freud, ao falar da condição do dinheiro, destaca, portanto, a autopreservação — que traduzo por algo da ordem da necessidade —, o poder e o fator sexual.

A partir da necessidade (base indispensável para se mudar de registro), passa-se à questão do poder e à questão sexual, levando-se em conta que para Freud o sexual se divide em *amor* e *desejo*. O amor se encontra no registro da demanda do/ao Outro e o desejo (*Wunsch*) é o que, em Freud, é propriamente sexual.

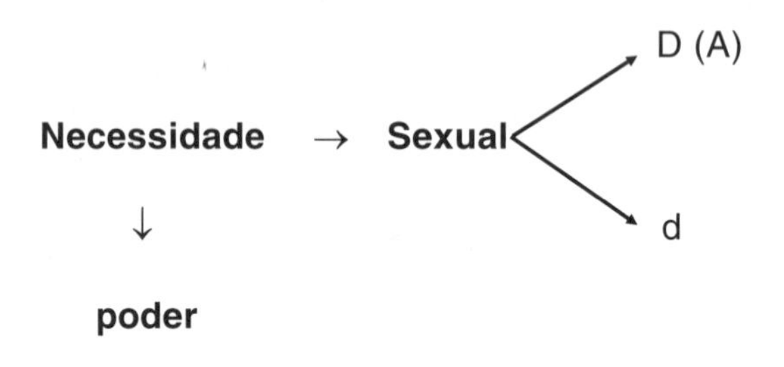

No intuito de situar a questão do dinheiro, desdobremos em cinco suas funções: necessidade, poder, demanda, desejo, e gozo, o qual se encontra presente nas quatro primeiras.

1º) "*Primum vivere*" (primeiro, viver). O dinheiro se refere aqui à ordem da necessidade: é preciso ter-se dinheiro para viver (morar, comer, vestir-se, ter lazer, etc. ...).

2º) Se o *sinal* ou *signo* (*signe*) é, segundo Lacan, aquilo que representa alguma coisa para alguém, o dinheiro pode ser sinal de poder, mas é também símbolo de poder já que recebe a marca fálica. O dinheiro — assim como as coisas que permite comprar e acumular — é símbolo fálico, representando o gozo do haver, escamoteando a falta-a-ter, ou seja, mascarando a castração e daí conferindo a ilusão de que tudo se pode com o dinheiro.

O rico que se paramenta com lanchas, anéis, cavalos, etc. mostra que esses objetos se apresentam como símbolos de poder por serem insígnias fálicas. O falicismo do poder do capital pode ser ilustrado na ostentação de riqueza do *nouveau riche* e na atitude da mulher rica que trata os homens como objetos de troca.

3º) O dinheiro pode ser um sinal de amor. Menos quando o dinheiro é dado do que quando é pedido, como uma demanda do Outro — cujo protótipo encontramos na situação da mãe pedindo ao filho para lhe dar suas fezes. Dar dinheiro não é tanto um sinal de amor, na medida em que amor é dar o que não se tem, a não ser quando se dá o dinheiro que não se tem — aquele que faz falta.

O que especifica o dinheiro neste registro não é algo da ordem do dar amor, mas sim da demanda de amor. O dinheiro entra aqui como um dos objetos que podem ser pedidos: objeto da demanda que adquire um valor que o transmite em sinal de amor.

4º) No nível do desejo o dinheiro aparece como significante que se inscreve numa cadeia associativa do sujeito, como veremos a seguir.

5º) O gozo do dinheiro é o que designamos pela libidinização do capital no ser falante — o "fator sexual" propriamente dito que é da ordem da pulsão.

Para o homem, o que é da ordem da necessidade passa pelo registro da demanda e do desejo. O protótipo dessa passagem forçada é a fome que, sendo do registro da necessidade, adquire a partir da linguagem a dimensão da pulsão (pulsão oral). A própria enunciação "estou com fome!" se situa na dimensão do Outro, escapando ao registro animal que, quando tem fome, se alimenta e assunto encerrado.

Freud jamais negou o registro da necessidade no homem, a ponto de falar de pulsões de autopreservação em um momento da sua obra. Porém, o imperativo da necessidade (se o homem não come, morre) passa ao registro da demanda e ao registro do desejo. Se para a necessidade, existe sempre um objeto específico (para a necessidade de respirar, o objeto específico é o oxigênio, para a sede, o líquido, etc...), no ser falante a significantização da necessidade e sua articulação com a pulsão faz do objeto específico um objeto perdido e sempre buscado pelo desejo constante e indestrutível.

A entrada na cultura implica que a necessidade passe pela linguagem, arrancando o dinheiro do registro imediato da necessidade. A própria noção de dinheiro já denota a troca de objetos e bens marcados pela simbolização: o dinheiro só existe em função da linguagem. Dizer que pobre não pode fazer análise é tratá-lo como um animal, situando sua questão de dinheiro apenas no registro da necessidade. Na verdade, o rico é mais inanalisável do que o pobre, se chamarmos de rico aquele que não tem falta.

A necessidade faz aparecer a dimensão da *falta-a-ter*; a demanda e o desejo fazem aparecer outro registro da falta — a *falta-a-ser*. Falta-a-ser esse objeto que complementaria o Outro, falta-a-ser esse objeto que o Outro gostaria que eu fosse.

O dinheiro vinculado ao desejo entra em circulação marcado pela falta. Encontramos, com efeito, o dinheiro fazendo parte da série de equivalências simbólicas depreendida por Freud dentre os objetos que caem: seio, pênis, excremento, dinheiro, criança, presente, etc., objetos marcados pela castração e, portanto, suscetíveis de entrar nessa série fálica.

O dinheiro não só entra nessa série de objetos imaginários marcados pela falta, como é aquilo que permite um ciframento do gozo. É isto que possibilita ao homem dos ratos fazer equivaler *tantos florins a tantos ratos*, fórmula chave de sua neurose obsessiva. Os ratos, para esse paciente de Freud, produtos de sua obsessão, são amoedados por dinheiro — ligação possibilitada pela homofonia em alemão (*Ratten* = ratos e *Raten* = prestações), e evidenciada em sua dificuldade em pagar a sua dívida que toma a forma de sintoma.

A grande apreensão obsessiva do homem dos ratos é centrada no suplício relatado pelo capitão cruel, que consistia em amarrar a vítima e introduzir um funil em seu ânus no qual eram colocados ratos que cavavam o caminho até penetrarem no intestino. A idéia obsessiva é a de pensar que essa tortura estava ocorrendo com uma pessoa querida ao paciente. O gozo desse sintoma é apreendido por Freud pela expressão do paciente durante a sua descrição — o que traduzia o "horror de um gozo por ele mesmo ignorado" —, e pelo que na análise se desvela como a atividade do erotismo anal que desempenhara em sua infância um papel fundamental alimentado pela existência de vermes intestinais durante longos anos.

A análise permite a decifração da conexão entre essa idéia e o sintoma de dever pagar uma dívida impossível. A partir da equação significante rato — prestação, Freud pode estabelecer a conexão rato—dinheiro—herança paterna. Outra cadeia de significantes é também desvelada, ou melhor, produzida em análise: rato—infecção sifilítica—pai—pênis—verme intestinal. Esta última é uma série fálica, pois mostra, nos diz Freud, a significação fálica do rato. No entanto, ele insiste no deciframento do gozo da cadeia: trata-se da atividade do erotismo anal.[13] O "complexo de dinheiro" do paciente adquire um caráter obsessivo pelo gozo anal aí implicado — o dinheiro é da ordem pulsional.

Portanto, como faltante, ou seja, como substituto do objeto que representa a falta, isto é, a castração ($-\varphi$), o dinheiro entra na série dos objetos destacados do corpo.

$$\frac{\text{Seio}}{-\varphi}, \quad \frac{\text{fezes}}{-\varphi}, \quad \frac{\text{pênis}}{-\varphi}, \quad \frac{\text{dinheiro}}{-\varphi}$$

Esta seria sua vertente metafórica: o dinheiro metaforiza a falta implicada no desejo.

Uma outra vertente é o desejo como metonímia do capital, onde o que aparece é esse desejo sempre como desejo de outra coisa, de outra coisa, etc..., deslocando-se de objeto em objeto, para vários objetos do mundo sensível, para objetos compráveis.

Seria uma ilusão achar que os objetos desejáveis e compráveis não têm relação com o *objeto a*. Não é preciso ir a Amsterdã e ver as prostitutas nas vitrines para se inferir a relação entre os objetos expostos em uma loja e o *objeto a*, que é explorada pelo apelo do consumo dos anúncios publicitários. Os objetos de consumo podem representar, ser substitutos como objetos imaginários do *objeto a*, ou seja, $\frac{i(a)}{-\varphi}$. O dinheiro como metonímia do capital aparece sempre como substituto desse *objeto a*.

A fantasia da prostituição

Um breve comentário sobre a frase de Freud — "o dinheiro envolve poderosos fatores sexuais". Isto significa dizer que o dinheiro é libidinal.

Sempre foi possível trocar dinheiro por sexo: ontem, as prostitutas; hoje, as/os massagistas. Nas relações dos profissionais do ramo, o amor não está em jogo. Paga-se não apenas por se querer afastar o amor destas relações, mas sobretudo para que alguém se submeta às fantasias do pagante, sem manifestar-se como sujeito desejante. O profissional do sexo tem toda uma série de jogos, instrumentos que visam a colocar em cena a fantasia do cliente, dando acesso, desta forma, ao gozo fálico. É para obter esse gozo que o sujeito paga. Paga-se para que o Outro não faça surgir a dimensão enigmática de seu desejo, que é o instrumento da função designada por Lacan como o desejo do analista. O analista, diferentemente da prostituta — equivalência muito comum na análise, quando no próprio gesto do pagamento o analisante sente a si mesmo ou ao analista como prostituta —, vai contra a fantasia do sujeito. Longe de se submeter a esse enquadramento em que o indivíduo, numa riqueza de detalhes, sabe exatamente do que precisa para gozar, ele faz surgir a dimensão do desejo do Outro como enigmática, como um *x*. O analista vai contra a fantasia do sujeito assim como vai contra o gozo, no intuito de fazer surgir a dimensão do desejo marcado pela falta.

O gesto do analista de cobrar mostra que ele não está ali de graça e que não está interessado em fazer do analisante um objeto de seu gozo, de suas pesquisas, objeto de sua experiência clínica para, por exemplo, ingressar como membro em uma sociedade psicanalítica, fazer sucesso nas jornadas clínicas etc. Esse pagar mostra que algo do desejo do analista é também amoedável pelo dinheiro e que a análise está colocada dentro de um laço social.

Ao cobrar, o analista vai contra o gozo do sujeito de duas maneiras: não se submetendo à fantasia do cliente e mostrando-lhe não gozar dele. O dinheiro na análise tem, portanto, uma função de *pára-gozo*, como se diz pára-choque.

Divisão do sujeito e ética do analista

"O analista, continua Freud no texto 'O início do tratamento', pode indicar que as questões de dinheiro são tratadas da mesma maneira que as questões sexuais — com a mesma incoerência, pudor e hipocrisia."

Incoerência é o termo utilizado na tradução brasileira da Imago para a palavra alemã *wiespaltigkeit*, cuja melhor tradução seria *duplicidade*, que designa a qualidade de estar dividido, bipartido, onde se encontra a raiz de *Spältung*, que Lacan traduz como divisão do sujeito.

As questões de dinheiro e as de sexo dividem o sujeito. As respostas às questões de dinheiro, assim como às de sexo, são sempre individuais: não há duas pessoas que tenham a mesma relação com o dinheiro.

Seguindo o texto, Freud diz: "O analista, portanto, está determinado desde o princípio a não concordar com esta atitude, mas em seus negócios com os pacientes, a tratar de assuntos de dinheiro com a mesma franqueza natural com que deseja educá-los nas questões relativas à vida sexual. Demonstra-lhes que ele próprio rejeitou uma falsa vergonha sobre esses assuntos ao dizer-lhes voluntariamente o preço com que avalia seu tempo." Contra o pudor, Freud indica rejeitar a falsa vergonha e contra a hipocrisia, demonstra franqueza. Freud não toca na questão da duplicidade por ser ela inerente ao sujeito: o *quer—não quer*, ligado ao desejo, e o *sou rico—sou pobre*, ligado ao dinheiro, estão sempre presentes. Essa divisão se manifesta, por exemplo, no Homem dos Ratos em sua dúvida: escolher entre a mulher rica e mulher pobre, onde se manifesta sua *Spältung*.

Quanto à hipocrisia, Freud rejeita a posição do filantropo desinteressado, mostrando que assim o analista se sentiria prejudicado, vindo a situar o analisante no papel de perseguidor, ou seja, daquele que o explora, pois imaginaria esse outro (o analisante) como alguém a quem estivesse prestando um favor.

Freud fará a seguir todo um desenvolvimento contra a análise gratuita, enfatizando seus malefícios. Termina dizendo que "nada na vida é tão caro quanto a doença e a estupidez". Estabelece pois, nitidamente, não apenas que o preço da análise pode equivaler ao preço da doença, mas que um pode amoedar-se pelo outro.

A estupidez pode transformar-se numa questão da psicanálise, mas a princípio não é abordada frontalmente por Freud. Se ele trata de algo parecido com a estupidez é quando aborda a inibição na neurose. Por outro lado, a questão da debilidade mental é tratada por Lacan no *Seminário XI,* principalmente a partir de sua analogia com a psicose, dado que em ambos se encontra a holófrase de S1 e S2.

A doença, diferentemente da estupidez, é uma questão da psicanálise. A Freud interessa saber como a doença e o sintoma, em particular, podem ser amoedados pelo dinheiro. O sintoma é caro para o sujeito. Se para o personagem de Marilyn o "diamante é o melhor amigo da mulher", o sintoma é o melhor amigo do neurótico.

O lucro do sintoma

O neurótico ama seu sintoma como a si mesmo porque este lhe é caro — o que é constatável, na análise, em sua dificuldade em abandoná-lo —, uma vez que seu capital está investido no sintoma. Entramos aqui no segundo sentido da palavra *caro*: o primeiro é caro como amante (o melhor amigo) e o segundo é caro porque aí se encontra seu capital, ou seja, é aí que sua libido está investida. É o que Freud denomina de benefício primário do sintoma, e que Lacan chama de gozo do sintoma.

O neurótico, com seu sintoma, obtém dois tipos de benefício (lucro) na economia libidinal:

O *benefício primário*, em que o sintoma é uma satisfação libidinal substitutiva, sendo o melhor investimento do capital do sujeito. Cair doente, diz Freud, envolve uma economia de esforço psíquico.[14] A doença é uma maneira de se fazer economia: é a solução mais conveniente quando há conflito mental. Ficar doente é invariavelmente a obtenção de alguma vantagem. É a *fuga para a doença.*

O *benefício secundário* concerne à transformação da relação do sujeito com seu sintoma. Este é sentido inicialmente como um corpo estranho (ou hóspede indesejável, segundo outra metáfora utilizada por Freud), mas em seguida o sujeito acaba encontrando meios de tirar ainda mais vantagens dele, além da satisfação pulsional que o sintoma proporciona.

A metáfora empregada por Freud para se referir ao benefício secundário concerne a nada mais nada menos do que a um benefício pecuniário. Ele utiliza como exemplo o caso de alguém que, em decorrência de um acidente, ficou aleijado, passando a viver da mendicância.[15] Ao se propor uma cura para o aleijão através de uma cirurgia, o primeiro impulso do sujeito é recusá-la para não perder o benefício. O sintoma entra, então, na intersubjetividade, encontrando um lugar de endereçamento e o sujeito lucra com isso. A falta de pernas do homem tronco representará o sujeito para o Outro social. Mudar essa conjuntura significa tirar o que representa o sujeito (S1/$).

O benefício secundário do sintoma está, portanto, direta e explicitamente vinculado por Freud à questão do dinheiro.

A transferência de capital

Na análise, vemos a transferência de capital do sintoma para um objeto: o analista. Em vez de o sujeito se beneficiar recebendo uma pensão de invalidez por seu sintoma, ele paga, e seu capital é transferido ao analista. Além desta transferência de capital em forma de dinheiro, há a transferência de libido, aqui tratada da mesma maneira.

O primeiro efeito da cura analítica é essa quebra, esse corte perpetrado na economia de gozo do sujeito, instando ao sujeito que abra mão de seu capital pecuniário. Sabe-se o quanto é difícil fazer com que os analisantes venham mais vezes à análise, ou seja, fazê-los transferir ainda mais capital para o analista. Essa resistência pode estar ligada ao registro da necessidade, mas certamente está conectada ao registro da libido, ao gozo associado ao sintoma. O conceito de resistência, que Freud atribui inicialmente ao consciente — resistência ao trabalho analítico de decifração do inconsciente —, encontrará, a partir da segunda tópica, seu fundamento não mais ao nível do eu. Freud descobre que a resistência mais poderosa provém do *isso*: resistência em abrir mão do gozo incluído na doença, impedindo os efeitos terapêuticos da análise, podendo até levar à ruptura do vínculo analítico.

Na análise, o sujeito paga por essa transferência de um banco seguro chamado sintoma a um Outro sem garantias. Por melhor que sejam as indicações, por mais amor que o saber suposto lhe confira, este Outro é sempre sem garantias. É natural que o sujeito resista a pagar com dinheiro e a largar a segurança do banco em que a sua libido está investida.

Se o dinheiro serve para amoedar o capital da libido, o preço a ser pago para além do registro da necessidade não pode ser barateado. É só quando o preço é elevado para aquele sujeito que ele pode equivaler ao preço do sintoma, tendo cada analisante, portanto, o seu preço. O analista não pode ter um preço fixo para todo e qualquer um que venha bater à sua porta, pois isto seria situar sua práxis não no registro da libido, e sim no da prestação de serviços, não no registro da libido, mas no do *time is money*.

Pagar o preço

Se o sintoma é o melhor investimento de capital do sujeito, o que o leva a buscar uma análise?

A partir da questão do capital, podemos tentar formular a constituição da demanda de análise.

Num primeiro tempo, o sujeito considera que o preço que paga por seu sintoma lhe é demasiadamente caro (no sentido de alto preço e não da alta estima). O gozo do sintoma é paradoxal: a satisfação libidinal aí implicada revela-se como impossível de suportar quando se rompe a formação de compromisso do conflito em jogo no sintoma. Trata-se do momento em que o benefício secundário se desfaz e o real do sintoma impossível de suportar passa a superar a satisfação produzida pelo sintoma. Quando isto ocorre, o sofrimento causado por esse desequilíbrio da economia libidinal pode levar o sujeito a pensar em buscar uma análise. Entretanto, muitas vezes isto não basta para que alguém chegue a um analista.

Num segundo tempo, o sujeito opta pelo deciframento desta cifra, supondo um saber embutido no sintoma do qual ele é sujeito.

Podemos situar o efeito terapêutico verificado na clínica ao se iniciar uma análise nos três registros: imaginário, simbólico e real. Esse efeito pode aparecer como o sentimento de alívio que o analisante experimenta neste momento. Além do sofrimento, que é o sinal da ruptura do compromisso, é necessário para que o indivíduo procure análise que ele suponha no sintoma uma questão a ser decifrada, questão que diga respeito à sua posição como sujeito — sobre o sexo, sobre a vida, tal como a cifra de seu destino. Essa suposição possibilitará a escolha do sentido próprio à operação de causação do sujeito denominada por Lacan no *Seminário XI* de alienação. O sujeito opta pela decifração de sua alienação ao Outro do significante.

No registro imaginário, podemos dizer que se trata do amor de transferência — o registro da reciprocidade, do amar e ser amado — em que o sujeito ama e se sente levado em consideração em suas queixas e seu sofrimento. No registro simbólico, trata-se da entrada do sujeito na cadeia significante propriamente dita, ou seja, da entrada na associação livre: o sujeito encontra no analista o Outro a quem endereça sua produção significante. O efeito real é um remanejamento da libido. Trata-se da transferência do sofrimento pelo preço pago com o sintoma para o sofrimento do bolso, pois pagar implica também sofrimento, privações, sacrifícios, cálculos, etc. Trata-se de fabricar um objeto que se chama analista, e o dinheiro se presta bem a isso, pois se paga o analista para dele desfrutar. O analista se vende como objeto que tem valor inicialmente contabilizável: tanto por sessão. Assim, o analista é um objeto libidinalmente investido e que vai amoedar-se com o dinheiro. Pelo artifício da transferência, o analista é um objeto de aluguel — ele é alugado pelo analisante que paga por sessão, a cada "aluguel". E para isso não cabe a economia, pois a economia de dinheiro representa a economia de gozo que se expressa por uma retenção que infringe a regra de ouro da associação livre, que vai absolutamente contra qualquer tipo de retenção.

Só há uma maneira de se fazer análise: investindo tudo. Assim, nada pode ficar fora da análise. A despesa de dinheiro deve acompanhar a despesa de libido que corresponde a uma hemorragia inicial de gozo do sintoma concomitante à sua transferência para o analista. A transferência em análise, além de ser transferência de significante, como o explicita seu algoritmo formalizado por Lacan, é transferência do capital da libido.

Por que o analista cobra?

"Se não cobrássemos, entraríamos no drama de Atreu e de Tiestes que é o de todos os sujeitos que nos vêm confiar sua verdade."[16] Não cobrar é entrar na tragédia do analisante como depositário de uma carta roubada da qual ele quer desvencilhar-se. Ao receber as tragédias do analisante e ao fazê-lo pagar por elas, o analista tira o corpo fora da jogada.[17]

A tragédia do século XVIII de Crebillon "Atreu e Tiestes" é escandida pelo estribilho: "Um desígnio tão funesto se não é digno de Atreu é digno de Tiestes." Ele relata o caso de Atreu traído pelo irmão, e em seguida assassinado pelo filho suposto, e o caso de Tiestes que come seus próprios filhos.

Trata-se de uma lenda da antigüidade em que dois irmãos inimigos lutam pelo trono de Micenas. São irmãos fratricidas, pois sob o estímulo da mãe mataram seu meio-irmão, filho do pai com uma ninfa.

Em Micenas, quando fica vago o trono, um oráculo aconselha o povo a escolher um dos dois irmãos. Cada um deles propõe, então, uma aposta. Tiestes propõe que fosse rei aquele que conseguisse mostrar um tosão de ouro. Atreu aceita de imediato, pois existia um carneiro em seu rebanho que possuía um tosão de ouro, que ele havia mandado cortar e o guardava num cofre. Atreu, contudo, não sabia que sua mulher, amante do irmão Tiestes, o tinha roubado e ofertado ao amante. Atreu perde quando Tiestes apresenta o tosão de ouro, ... mas não descobre nada.

Zeus apieda-se de Atreu e sopra-lhe que este proponha — pois é sua vez de propor uma aposta — que o verdadeiro rei seja aquele que mudar o curso do sol. Zeus realiza a proeza. Atreu, graças ao favor divino, vira rei, e Tiestes é banido.

Mais tarde, quando Atreu vem a saber da traição fraterna, finge reconciliar-se com o irmão e manda chamá-lo. Mata em segredo três filhos de Tiestes, esquarteja os despojos e faz com os pedaços um magnífico banquete que oferece ao suposto irmão pródigo. Após Tiestes se refestelar, Atreu mostra a cabeça dos três filhos e o bane novamente.

A tragédia de Crebillon termina aqui, mas a lenda conta que Tiestes refugia-se em Sicyane e engendra um filho, Egisto, com a própria filha Pelópia, sem que esta o percebesse (!). Pelópia casa-se em seguida com o tio, Atreu, e este confia a Egisto a missão de matar Tiestes. Mas Egisto descobre a tempo que Tiestes é seu pai, retorna a Micenas, mata Atreu e dá o trono a Tiestes.

Não cobrar significaria entrar no drama de Atreu e de Tiestes como depositário do segredo valioso sem poder fazê-lo circular. Ao fazer o analisante pagar, trata-se de transformar algo da ordem do destino em objeto de troca — os significantes empregados para cifrar esse gozo, contando quantas vezes for necessário o horror de sua tragédia. O destino aqui é figurado por uma orgia sanguinolenta de gozo incestuoso, como no fundo são todas as histórias ou pelo menos como são vivenciadas por aqueles que as narram.

O sujeito vem prestar contas de seus crimes e para tal ele paga com dinheiro, maneira de colocar em movimento a dívida simbólica — dívida que o sujeito paga pela entrada no simbólico.

Ao fazer pagar, o analista mostra que não está ali por amor, por sacrifício, ou por ideal, e muito menos para gozar das histórias escabrosas dos pacientes. Isto é importante sobretudo no que tange ao amor de transferência em que — como se verifica na clínica do amor — amar é querer ser amado. Desde que desponta o amor de transferência surge a demanda de amor. Para além desse amor de transferência, o que está em jogo é o cerne do amor: ou seja, a questão "*o que sou como objeto para o Outro?*", em que o analista será convocado a esse lugar do Outro que goza do sujeito como um objeto. Fazer pagar é significar que o analista não se interessa pelo sujeito como objeto, mas que para ser o depositário das histórias de alto valor do sujeito, ele quer dinheiro com o qual poderá escolher os objetos que quiser.

O analista é depositário das cartas roubadas dos analisantes: cartas que não chegaram a seu destinatário e que são transferidas ao analista. O peso da responsabilidade de ser o depositário dessas cartas é contrabalançado pelo dinheiro, pois ao fazermos pagar neutralizamos a responsabilidade dessa transferência, fazendo-a equivaler ao significante mais aniquilador de significação: o dinheiro.

O analisante paga com dinheiro e "paga à vista" ao/do analista o preço devido por tê-lo constituído como cofre precioso de seus males e bens. O preço "tem como função amortecer algo de infinitamente mais perigoso do que pagar em dinheiro, que consiste em dever algo a alguém".[18]

O analista também paga, nos diz Lacan em *A direção da cura e os princípios de seu poder.*[19] Ele paga nos três registros: Simbólico, Imaginário e Real.

S — com palavras — a interpretação.
I — com sua pessoa — prestando-se aos fenômenos decorrentes da transferência, apagando-se como eu.
R— com seu ser — em seu ato anulando-se como sujeito no faz-de-conta de ser *objeto a*.

E o que o analisante e o analista dão cada um?

Poderíamos dizer que o analisante dá o seu amor — o amor de transferência. Só que na dinâmica do amor e na dialética do dar, o amor é dar o que não se tem: dar, por exemplo, seu tempo quando não se o tem para nada ou dar a eternidade como André Gide para Madeleine. Mas o amor de transferência é efeito da demanda intransitiva que o analisante dirige ao analista: amar é demandar amor. Daí o "dar amor" da transferência se reduzir à outra face da demanda que cabe ao analista suportar como insatisfeita com sua recusa, para que desfilem os significantes em que se detiveram as frustrações do analisante.

Mas não é com amor que se paga o amor. Pois se amar é dar o que não se tem, o que o analista teria a dar é nada. Mas mesmo esse nada, diz Lacan, ele não dá. E paradoxalmente para esse nada que ele não dá, o analista faz o analisante pagar e pagar bem, senão o analisante não o julgaria precioso.[20] O analista como o Outro do amor a quem o analisante dirige suas demandas é valioso por ser suposto deter o objeto precioso causa de seu desejo (a). É por esse objeto valioso, *agalma*, que o analista é suposto deter, e que ele não só não dá como tampouco possui — é por esse objeto que é nada que o analisante paga.

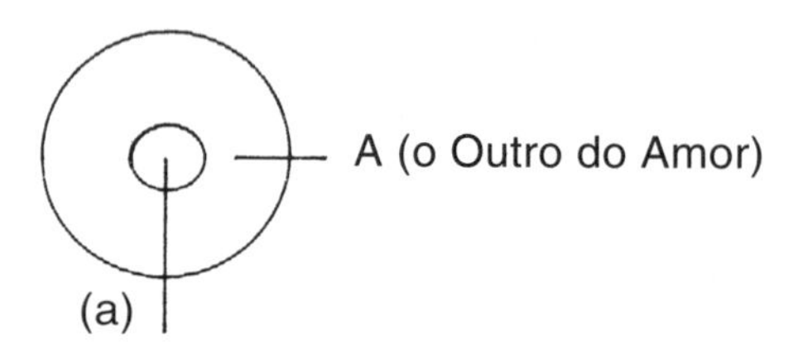

Isto se resume na frase evocada no *Seminário XI*, ilustrando o para-além do amor de transferência: "*Eu te amo, mas como, inexplicavelmente, amo em ti algo mais do que tu, o objeto a, eu te mutilo.*"[21]

A obsessionalização do pagamento como se fosse um salário recebido por serviços prestados no final do mês é correlata à prática do contrabando — modulação do desejo do obsessivo — em que se tenta, para driblar o Outro, entrar em negociação do tipo "um preço com recibo, outro preço sem recibo", etc.

Na análise, só há um recibo: é a forma com que cada analista significa ao analisante que o que foi dito está dito, sem poder ser desdito: o sujeito é responsável pelo seu dito. Eis o que o psicanalista com sua pontuação, anuência ou seu corte da sessão significa ter recebido. Em última instância, o recibo do analista é o próprio corte da sessão. Por intermédio do corte ele significa ter recebido aquilo que o analisante lhe depositou. Nesse sentido, o recibo vem antes mesmo do gesto de pagamento.

Capítulo V
O ato psicanalítico e o fim de análise

Quase parece como se a análise fosse a terceira daquelas profissões impossíveis quanto às quais de antemão se pode estar seguro de chegar a resultados insatisfatórios. As outras duas, conhecidas há muito tempo, são a educação e o governo. Evidentemente, não podemos exigir que o analista em perspectiva seja um ser perfeito antes que assuma a análise, ou, em outras palavras, que somente pessoas de alta e rara perfeição ingressem na profissão. Mas onde e como pode o pobre infeliz adquirir as qualificações ideais de que necessitará sua profissão? A resposta é: na própria análise, com a qual começa sua preparação para a futura atividade.

Análise terminável e interminável,
Sigmund Freud

Para Freud, toda análise é terapêutica, tanto para aquele que quer se curar de algo quanto para aquele que se propõe a ser analista. A distinção, portanto, entre analistas-terapeutas e analistas-didatas, análise e análise-didática, em uso nas sociedades ipeístas e similares, merece ser interrogada. Para Lacan, toda análise é didática quando levada a seu término, pois ela produz um analista.

Se com Freud aprendemos que a própria análise do analista é a condição para seu exercício, com Lacan descobrimos que o próprio processo analítico pode conduzir o sujeito a um ponto em que de analisante ele vira analista, deixando supor que a ultrapassagem desse "momento de passe", correspondente ao final da análise, é a condição do ato de tornar-se analista. O ato psicanalítico por excelência é aquele em que o analisante passa a analista. Disto se deduz que só é possível encontrar-se o ato analítico no início da análise de cada paciente, caso ele tenha se realizado para aquele analista no final de sua própria análise. Ao dirigir uma análise, os atos do analista trazem a marca dessa passagem, mesmo quando a travessia fracassa e desemboca no faz-de-conta do ato psicanalítico.

Neste capítulo, propomos a hipótese de que o modo de o analisante sair da análise determinará seu modo de agir quando analista, sendo necessário, portanto, articular a doutrina do final de análise com a do ato psicanalítico.

O seminário sobre o Ato psicanalítico é contemporâneo da chamada "Proposição de 9 de outubro" de 1967, texto em que Lacan extrai conseqüências institucionais da teoria do fim da análise, sustentando que a qualificação do psicanalista só pode ter seu suporte na tarefa terminada do analisante. O ato psicanalítico é o ato realizado a partir do advento do sujeito como objeto, quando o sujeito se destitui como analisante para instituir-se como analista, podendo suportar bancar o objeto causa de desejo para um analisante. É este mesmo ato que, uma vez deposto o sujeito suposto saber encarnado pelo analista, fará esse analisante reinstaurá-lo já como analista para um outro sujeito, ao dar início a uma análise. O ato psicanalítico fornece a estrutura da sentença lacaniana de estilo pré-socrático: o analista só se autoriza por si mesmo. É essa estrutura do ato analítico no final de análise que se opõe ao final de análise pela identificação com o psicanalista.

O incurável da castração

Em seu texto sobre a questão do término da análise, Freud faz a experiência psicanalítica desembocar no "rochedo da castração": angústia de castração para o homem e inveja do pênis (*Penisneid*) para a mulher. Para Freud, o que se encontra no horizonte da análise é uma falta, que desvela a negativização do falo para ambos os sexos.

Esse impasse da castração é, sem dúvida, inassimilável para o sujeito. Lacan, ao se perguntar se tal impasse é realmente intransponível, propõe uma teoria de seu ultrapassamento, a partir do conceito de fantasia que sustenta o desejo para o sujeito, constituindo a ficção ("fixão") do gozo ao qual está subordinado.[1]

O dispositivo freudiano da associação livre é o que responde ao estatuto do inconsciente, estruturado como uma linguagem, impondo ao analisante a tarefa da decifração do saber inconsciente, sustentada, na transferência, pelo analista. Na associação livre, o analisante se experimenta como sujeito que nenhum significante é capaz de representar a não ser para outro significante, pois nenhum significante é capaz de dizer o que é o sujeito, que é, ele mesmo, significante riscado da cadeia ($). Nesse exercício do cumprimento da regra fundamental, o sujeito se experimenta como faltante sob dois aspectos. Por um lado, falta o significante que diria o que ele é. Os significantes identificatórios do sujeito têm na análise o destino de perderem sua função (ou pelo menos de terem sua função abalada), revelando-se tal como são: significantes que não definem o sujeito, mas aos quais ele está assujeitado. Não falta porém ao sujeito apenas o significante que o definiria, mas o próprio ser: o sujeito é falta-a-ser. Levar o sujeito ao ponto de se experimentar como falta corresponde a chegar ao que Freud designou por "rochedo da castração": o ponto incurável do sujeito.[2] Para Lacan, trata-se menos de um impasse do que de um ponto de chegada do processo: o sujeito não se cura de sua divisão. "Fazer da castração sujeito" é o dever do analista. Este ser que lhe falta é o que sua fantasia ($ ◊ a) lhe indica como sendo o objeto com o qual ele, como sujeito, se encontra em conjunção (∧) e disjunção (∨) — objeto condensador de gozo: objeto (a).

A vertente da análise que implica a decifração do inconsciente e o sujeito como efeito do significante é interminável. Jamais se poderá saber tudo devido ao recalque primário. Só a partir do ponto da estrutura fora do significante, onde se denota o ser do sujeito, é que um final de análise é possível. Chegar a esse ponto é a condição do ato analítico em que "o objeto é ativo e o sujeito subvertido". A partir dessa definição podemos escrever o matema do ato analítico com a parte superior do discurso do analista: a → $, em que o objeto *a* é o agente operador do ato analítico. Para que o analista em seu ato faça com que o objeto seja ativo na experiência, ele mesmo enquanto "ser" no faz-de-conta, e não como sujeito, deve vir presentificar esse objeto para o sujeito do analisante. Como cumprir essa função sem ter ele mesmo passado pela experiência em sua própria análise de reconhecer-se como objeto de gozo, causa de horror e desejo? É a partir do objeto *a* que se situa a vertente terminável da análise. Ao preparar o novo analista, o final de análise traz em si esse passe, cujo momento Lacan propôs apreender através de um dispositivo institucional particular, de mesmo nome, fora da transferência.

O dispositivo do passe

O passe é, portanto, o nome desse momento do final de análise em que o analisante vira analista e também o nome do procedimento inventado para que o testemunho dessa passagem seja acolhido pela instituição psicanalítica, ou seja, por uma *Escola de psicanálise.*

Em 1967, três anos após ter fundado a *Ecole Freudienne de Paris*, Lacan fez em outubro sua famosa proposição de instaurar a nível institucional um dispositivo complexo que desse conta da maneira pela qual uma pessoa se torna analista. É em torno do passe que é articulada na Escola de Lacan a questão da garantia institucional pela vinculação da análise pessoal com a transmissão da psicanálise, ou seja, a análise em intensão e a análise em extensão.

Os princípios de funcionamento do passe foram votados e adotados em 1969 em Assembléia Geral a partir de um texto escrito por Moustapha Saphouan e colaboradores.[3] Esse dispositivo tem por função autenticar o passe experimentado na análise e produzir um saber sobre ele, sendo, de certa forma, o contrapeso institucional (e paradoxal) ao aforisma "o analista só se autoriza por si mesmo". Contrapeso com o qual a Escola, junto à designação de AME (Analista Membro da Escola) — título com que reconhece os membros que tenham dado prova de serem analistas —, garante a "relação do analista com a formação que ela fornece."[4] O passe, sem ser obrigatório, é o dispositivo que permite a verificação de que o analista só se autoriza por intermédio do analisante que ele foi e pelo passo dado ao decidir colocar-se no lugar de analista para um outro sujeito. Aqueles que dão seu testemunho desse momento do passe, verificado e autenticado por um júri, recebem o título de AE — Analista da Escola. O princípio consiste em que um sujeito designado *passante* dê testemunho de sua análise a dois *passadores* escolhidos numa lista por sorteio que, por sua vez, transmitirão o que escutaram ao júri, a quem cabe a decisão da nomeação. O passante não encontra aqueles que autenticarão ou não seu passe com o título de AE. O passador é designado, sem ter sido consultado, por seu analista, por se encontrar no momento de passe em sua própria análise, estando, portanto, apto a recolher a fala dos passantes e transmiti-la ao júri.

O passe subverte totalmente o que, até então, constituía nas sociedades ipeístas a questão da formação do analista, baseada numa pré-seleção dos candidatos, na indicação de analistas didatas devidamente habilitados e no testemunho do analista sobre o desempenho do analisante. O passe propõe que o analisante seja ele mesmo a testemunha de seu processo e que elabore um saber sobre sua passagem a analista. A questão da seleção prévia à candidatura do analista se desloca para a questão de um depoimento, seguido de verificação posterior à análise, baseado não num saber prévio, mas num saber a ser elaborado só-depois de terminada a experiência analítica.

A "Proposição", diz E. Roudinesco, "constitui sem dúvida um dos atos mais inovadores da história da psicanálise em matéria de formação [...]. Lacan quer assim reintroduzir o que se ensina ou transmite no divã como *único* princípio de acesso a uma função que tendia até então a não ter nada mais de comum com a especificidade da psicanálise."[5] Desde sua invenção, o passe sempre foi causa de debates, polêmicas e até mesmo de cisões, como a saída em 1968 dos analistas da EFP que fundaram o *Quarto Grupo*, liderado por P. Aulagnier, F. Perrier, J.-P. Valabrega. Tanta celeuma não será por ser o passe o dispositivo institucional que se propõe a acolher algo do real — impossível de suportar — em jogo na análise, e portanto na formação do analista, para daí se elaborar um saber?

Após o diagnóstico de Lacan, em Deauville, em 1978, de que o passe na EFP era um fracasso, e posteriormente a sua dissolução, a Escola da Causa Freudiana (ECF), fundada sob o signo da contra-experiência, decidiu reabilitá-lo em 1983, retomando os princípios da "Proposição", mas introduzindo modificações a partir das indicações de Lacan de 22 de dezembro de 1980 a Claude Conté e Jacques-Alain Miller:[6] 1) O antigo júri foi substituído por uma dupla comissão do passe, constituída por dois *cartéis do passe* que têm a função de receber o depoimento dos passadores, deliberar e nomear ou não o passante com o título de AE. Eles se renovam de dois em dois anos, segundo o princípio da permutação, sendo cada cartel composto por cinco pessoas (4+1) das quais três analistas (entre eles pelo menos um é AE) e dois passadores; 2) AE, que era na EFP título permanente, passou a ser título provisório (para evitar a constituição de uma "casta") de duração de três anos, durante os quais, conforme a "Proposição", ele "testemunha dos problemas cruciais nos pontos vivos em que se encontram para a psicanálise"; 3) Os passadores deveriam ser designados pelos AME, os quais por sua vez seriam nomeados por uma Comissão de garantia; 4) Foi constituído um secretariado da comissão do passe que deveria receber as demandas de passe e estabelecer a lista dos passadores indicados.[7]

Não é nosso propósito aqui discutir as questões institucionais que se colocaram e que se apresentam atualmente na ECF em relação ao passe, mas tão-somente indicar seu atual funcionamento, já que nada garante que não se modifique em função da experiência. Mas é importante assinalar que um tal dispositivo, cuja complexidade é evidente, não poderia ter sido inventado sem haver concomitantemente uma elaboração de saber sobre o final de análise, mesmo que este precisasse ser confirmado, testado, avalizado pelas diversas instâncias do dispositivo (principalmente os cartéis do passe e os AE). "Inútil indicar, diz Lacan, que esta proposição implica uma acumulação da experiência, sua colheita e sua elaboração, uma seriação de sua variedade, uma notação de seus graus."

A Escola de Lacan, como instituição psicanalítica que garante a formação dos analistas, é solidária, portanto, da concepção de que se tornar psicanalista não é uma escolha profissional, mas uma virada ou uma passagem que se realiza no interior de um processo analítico que pode ser verificado por um dispositivo institucional (conforme à estrutura desse momento de passe no dispositivo analítico).

O passe como dispositivo tem o caráter de proposição, não sendo absolutamente uma obrigação para ninguém, mas a Escola deve oferecê-lo a quem quiser utilizá-lo. O passe "não é prescrito como um dever, é oferecido como um risco. Ele supõe que se confie na teoria do passe, nos passadores, no júri, em Lacan, na Escola, e até mesmo no 'espírito da psicanálise'".[8] A aposta de Lacan no passe era tão veemente que chegou a propor em 1974 a um grupo de italianos a constituição de uma Escola cujo acesso fosse possibilitado por intermédio desse dispositivo, mesmo correndo o risco de que não entrasse ninguém e de que não se constituísse a instituição.[9]

Nesse mesmo ano de 1974, ele dizia em seu Seminário que sua formulação ("o psicanalista só se autoriza por si mesmo") deveria receber complementação dado que "se é certo que não se pode ser nomeado para a psicanálise, isto não quer dizer que qualquer um possa entrar lá dentro como um rinoceronte numa porcelana". E não escondia que esperava muito de sua Escola quanto à questão sobre o que constitui um analista: "espero que alguma coisa seja inventada". Não estaria Lacan enfatizando aí o papel da instituição na psicanálise em intensão? Ele chegou a indicar (a partir dos quantificadores lógicos empregados nas fórmulas da sexuação), que "mesmo se autorizando por si mesmo, ele não pode, por isso, igualmente deixar de se autorizar por intermédio de outros."[10] Esse aspecto paradoxal da autorização do analista — apontado, elaborado e jamais abandonado por Lacan — revolucionou inteiramente a maneira de pensar a formação do psicanalista e a estrutura das instituições psicanalíticas: seus efeitos se fazem sentir até nas sociedades mais tradicionais dos países em que há uma difusão do ensino de Lacan. Cabe dizer que ainda hoje o desafio e os paradoxos do passe estão longe de ter dado todos os seus frutos.

O fim da partida

Na "Proposição", em que Lacan articula o passe e seu dispositivo, ele elabora as coordenadas lógicas e clínicas do início e do final da análise.

Como vimos no primeiro capítulo, o matema do início da análise é o algoritmo da transferência. Entretanto, não encontramos na obra de Lacan nada parecido com um matema do fim da análise, mas somente algumas indicações precisas e um dispositivo institucional para que um saber sobre esse fim possa ser constituído a partir da experiência do passe.

O início da análise, com a articulação significante de transferência ($S \rightarrow Sq$), é marcado pela instituição do sujeito suposto saber como efeito de significado que é, no entanto, o próprio pivô da transferência.

A essa transferência de significante corresponde a lógica de *agalma* delegada ao analista na posição do Outro do amor e do saber. *Agalma* é o que sustenta na transferência a conjunção do sujeito suposto saber com o sujeito suposto desejar.

O fim da partida, quando se dá a "metamorfose do sujeito", pode ser articulado ao ato analítico a partir de duas expressões utilizadas por Lacan: a destituição subjetiva e a travessia da fantasia.

A destituição subjetiva

Numa análise só há lugar para um sujeito: o sujeito do inconsciente que fala pela boca do analisante. O analista não deve, portanto, competir com o analisante por esse lugar lançando mão, por exemplo, dos efeitos do discurso do analisante sobre sua pessoa, isto é, sua divisão, ou, em outros termos, sua contratransferência. O que permite ao analista abrir mão de sua condição de sujeito na condução da análise é o processo que em sua própria análise o levou à *destituição subjetiva* quando de seu término.

A destituição subjetiva corresponde à queda dos significantes-mestres que representavam o sujeito, significantes da identificação ideal advindos do Outro [I(A)]. Não é raro esse processo de desidentificação ser experimentado como um momento de "despersonalização", por se verem abalados os ancoramentos simbólicos do sujeito que é liberado do jugo das identificações. Os significantes não cumprem mais a função de responder (tamponando) a questão do "Quem sou?" transmutada em "Que sou para o desejo do Outro?". Perdendo os significantes que o subjugam ($\frac{\$}{S1}\downarrow$), o sujeito é reduzido à sua divisão, e o que se presentifica é o objeto que ele é e foi estruturalmente para o Outro. O sujeito se sabe, então, "pura falta enquanto (-φ)" e "puro objeto enquanto (a)". Essa falta correlata à castração e esse objeto causa de desejo têm a mesma estrutura: a que "condiciona a divisão desse sujeito".[11]

A destituição subjetiva corresponde ao advento do ser. Sendo o sujeito falta-a-ter e falta-a-ser, no final da análise é em (-φ) ou em (a) que aparece seu ser, diz Lacan na primeira versão da "Proposição", acrescentando que é esse "ser do *agalma* do sujeito suposto saber (que) arremata o processo do psicanalisante em uma destituição subjetiva". Ela é correlata ao desvanecimento do Outro: o sujeito se depara com a castração, com a falta do Outro que desvela sua inconsistência: a barra sendo colocada no Outro (Ⱥ), é do "Outro, continua Lacan, que cai o (a) e no Outro que se abre a hiância do $(-\varphi)$". Isso implica que, do ponto de vista do analisante, o analista é atingido em sua dimensão de Outro aparecendo cada vez mais na posição de resto, reduzindo-se a um significante qualquer. A destituição subjetiva é também destituição do sujeito suposto saber, pivô da transferência, o que promove a dissipação do amor transferencial, perdendo o analista a causa da transferência: *agalma*. O analista perde o valor de objeto precioso de maravilhamento para adquirir o valor de dejeto, rebotalho do processo analítico. O advento do ser correlato à destituição subjetiva do analisante corresponde no analista a um efeito de "desser" — ele é deixado, largado como ser pelo analisante. É esse final de análise quando o analisante "sabe ser um rebotalho"[12] a condição para que ele, quando for analista, conduzindo a análise de outros sujeitos, possa também ser largado no final como o dejeto da experiência.

Travessia da fantasia

Outra maneira de abordar essa metamorfose do sujeito é o que Lacan designou por travessia da fantasia. Atravessar a fantasia fundamental não significa eliminá-la como se fosse uma pedra no rim ou fazê-la desaparecer esfarelando-a, e sim percorrê-la para que o sujeito possa experimentar-se nos dois pólos que ela encerra: o do sujeito e o do objeto $(\$ \lozenge a)$.

Como sujeito, foi isso o que ele fez o tempo todo de sua análise: experimentar-se como faltante, como aquele a quem falta o complemento que a fantasia preenche. A travessia da fantasia corresponde à destituição subjetiva pois significa essencialmente ir para além dela, para que o sujeito se reconheça num "sou" conectado ao objeto — objeto que subverte o sujeito. "A destituição subjetiva, diz Colette Soler, é fazer o sujeito reconhecer-se como objeto."[13] A travessia da fantasia corresponde à destituição subjetiva, na medida em que é a fantasia que sustenta a instituição subjetiva: a posição do sujeito na fantasia, ou seja, sua relação com o objeto é assegurada por suas identificações.[14] A fantasia é o que dá o enquadramento da relação do sujeito com a realidade: sua janela para o mundo. É dela que o sujeito tira a segurança do que fazer diante das situações que a vida lhe apresenta. A análise, ao levar o sujeito a atravessar a fantasia, promove um abalo e uma modificação, nas relações do sujeito com a realidade, levando-o a uma zona de incerteza, pois ele é largado pela âncora da fantasia, liberado das amarras das identificações que mapeavam sua realidade. Nesse momento, nada pode escamotear sua castração. Esse sujeito destituído encontrará sua certeza em seu ser de objeto.

"Sou essa voz da garganta afônica do Outro; essa merda ejetada por seu furo; esse objeto a devorar por sua boca; esse olhar penetrante a me fuzilar." Revelação de um ser em contraposição ao sujeito que, ao obedecer ao "diga tudo" da regra fundamental, só aparece como falta de ser aquilo tudo que é dito. A partir dessa experiência de ser, o sujeito poderá esvaziar esse objeto do gozo do Outro que lhe sustenta a fantasia. O objeto se desvela como não apresentando consistência alguma, a não ser lógica, como produto de elaboração no final da análise. Com essa operação de esvaziamento de gozo, o sujeito pode saber-se um rebotalho e lidar com seu ser de objeto para dele poder se separar. Esse objeto, uma vez separado, decaído, "perde todo privilégio e literalmente deixa o sujeito sozinho".[15] Trata-se aqui de uma *dessubstantificação do objeto* onde o que conta "não é o próprio objeto, mas a função desse objeto em sua relação com a divisão do sujeito."[16]

O que está em jogo na travessia da fantasia no final da análise é a perda do ser de toda sua substância de objeto. O fim de análise deve permitir ao sujeito renunciar ao que lhe dava a impressão em sua fantasia de lhe oferecer esse complemento de ser.

A travessia da fantasia implica a sua construção axiomática, cujo modelo se encontra no "Bate-se numa criança" onde Freud nos revela, em sua desconstrução, um sujeito na posição de objeto de sevícias do Outro. Esse duplo movimento de construção e desconstrução permitirá que "a experiência da fantasia fundamental, como diz Lacan, se torne a pulsão".[17] O aspecto acéfalo da pulsão onde não se encontra o sujeito é correlato à acentuação do circuito pulsional em redor do objeto.

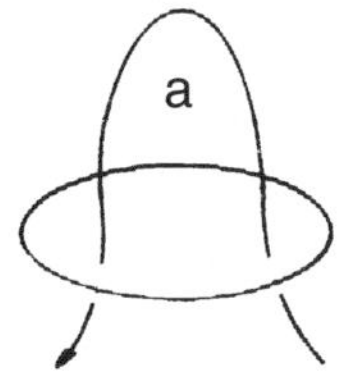

No final da análise, é presentificado o trajeto pulsional que, arrematando seu fecho, subverte esse sujeito fazendo dele o objeto da pulsão. Nesse fim, os enunciados do analisante e os sonhos giram em torno dos significantes da pulsão, constituindo um turbilhão em torno do vazio inominável de seu ser de objeto.

O ato psicanalítico

A destituição subjetiva e a travessia da fantasia criam a condição da possibilidade do ato analítico, dado que no ato não há sujeito. O ato analítico apresenta as mesmas características de qualquer ato, desenvolvidas por Lacan em seu seminário sobre o tema: 1) O ato apresenta uma dimensão de linguagem — tal como se encontra na descrição por Freud tanto do ato falho — uma fala recalcada — quanto no *agieren*, com seu aspecto de fala impossível e por isso mesmo atuada. 2) O ato é promotor de ultrapassamento, franqueamento, provocando uma mudança radical no sujeito, pois, no que se refere a ele, nada será como antes. 3) O ato é acéfalo, pois o sujeito não é agente de seu ato, ele é agido. Estas três características encontram-se condensadas na resenha desse Seminário: *O ato vem no lugar de um dizer pelo qual ele muda o sujeito.*[18]

Esse sujeito caracterizado pelo pensamento, que é o sujeito do inconsciente, e cuja associação livre o desvela como falta-a-ser, está ausente do ato psicanalítico. O sujeito que pensa não age. O ato está do lado do ser e é correlato a um "não penso", que completamos com o *cogito* lacaniano por um "não penso, logo sou". Não existe, portanto, subjetivação do ato a não ser *a posteriori*: só depois do ato o analista poderá interrogar-se sobre o que o fez agir e dar a razão desse ato em uma construção.

Se o ato é desvinculado do pensamento é por ser incompatível com a hesitação que denota a divisão do sujeito. Para o neurótico, como nos ensina Hamlet, o ato é difícil de ser realizado: ou bem ele o posterga como faz o obsessivo que, em vez de realizar o ato, pensa sob a forma da dúvida; ou bem já perdeu a oportunidade como é o caso da histérica, que também em vez de agir pensa, mas sob a forma da queixa de tê-la deixado passar.

Não há saber do ato analítico. Este se realiza num momento em que o sujeito não se encontra aí. O aspecto acéfalo do ato analítico é correlato do acéfalo da pulsão. O sujeito, na verdade, é sempre ultrapassado por seu ato, que, enquanto tal, é tão incalculável quanto incontrolável. Um sujeito, diz Lacan, cujo ato o ultrapassa, isso não é nada, mas se ele ultrapassa seu ato, trata-se da incompetência do psicanalista. Ultrapassar seu ato é predeterminá-lo de antemão, prevê-lo e até mesmo cronometrá-lo. Encontra-se, então, excluído do âmbito da análise todo tipo de previsão, de *timing*, de fixação prévia de prazo, por exemplo, para se terminar a análise. O que regula o ato está para o lado do ser, do "sou onde não penso", e, portanto, do não-saber *a priori*, uma vez que o saber está do lado do "penso", ou seja, lá onde se encontra o inconsciente. Como diz Freud na *Psicopatologia da vida cotidiana*: "O sujeito realiza o ato sem pensar em nada, de uma maneira puramente acidental."

Dar alta de análise contraria o ato analítico, pois implica considerar que o analista sabe, demonstrando que o sujeito suposto saber aí não foi tocado. Enquanto que o ato analítico é aquele que é realizado pelo analisante no momento do passe em que ocorre a dessuposição do saber que o analisante deposita no analista. "O ato psicanalítico, escreve Lacan, é promotor de escândalo, pois revela a falha entrevista do sujeito suposto saber."

Em suma, o ato psicanalítico só encontra seu princípio em um outro ato: o do analisante que ele foi. E a cada ato do analista ele renova esse ato inaugural.

Mas é fato que abrir um consultório, aceitar demandas de análise, declarar-se psicanalista e começar a atender, na grande maioria dos casos, é um ato anterior ao final de análise e ao passe propriamente dito. Só-depois, o analista encontrará a razão desse ato em sua própria análise quando sobrevirá o ato analítico no momento de concluir. Será que um sujeito pode funcionar como psicanalista se sua fantasia não foi tocada em análise? O que fará ele com seus analisantes? Se sua fantasia não foi atravessada no sentido de uma desarticulação entre sujeito e objeto, o analista tenderá a se situar em um de seus pólos colocando o analisante no outro. Se ele se situa como sujeito, o analisante virá no lugar do objeto de sua fantasia ($\$ \lozenge a$), acentuando a densidade fantasiosa com que o neurótico se defende da confrontação com o desejo enigmático do Outro. Se o analista se situa como objeto e o analisante como sujeito ($a \lozenge \$$), ele estará reproduzindo a estrutura da fantasia perversa.[19] Ocupar o lugar de objeto da fantasia para o analisante é distinto de *bancar* o objeto no faz-de-conta ocupando o lugar de agente do discurso analítico ($a \rightarrow \$$).

Na hipótese de o analisante interromper sua análise sem ter atravessado a fantasia, mas provocando um curto-circuito da fantasia, em vez do ato analítico teríamos o *acting-out* ou a passagem ao ato. Essa hipótese vai ao encontro da experiência de Jo Attié como membro do cartel do passe (no qual nenhum passante foi nomeado AE). Segundo ele, a partir dos testemunhos dos passadores, são encontradas essas duas modalidades de ato num suposto final de análise.[20]

A interrupção da análise por um *acting-out*, que é uma transferência sem análise, levará a uma perenização da transferência,[21] pois não foi operada a dissolução do sujeito suposto saber que é seu pivô. O *acting-out*, sendo uma mensagem dirigida ao Outro, implica sempre o sujeito suposto saber. Nesta modalidade de interrupção, o sujeito traz à cena o objeto de sua fantasia, numa atuação.

Uma analisante histérica chegou, por exemplo, em um ponto de sua análise em que a vivência da falta-a-ser concomitante à angústia que a acompanhava era escamoteada pelas queixas relacionadas à falta-a-ter. Até o momento em que se deparou com o furo no real provocado pela morte de uma figura do Outro, reatualizando a fantasia de devoração pelo olhar. Após a ausência necessária para, em outro país, participar dos ritos funerários, voltou disposta a interromper a análise, mas a "continuar a me ver" propondo-me a solução de "comer fora". Diante de minha recusa, não mais voltou. Essa interrupção de análise trouxe à cena o objeto da pulsão ilustrando a comparação que Lacan faz entre o *acting-out* e o caso dos espectadores que sobem ao palco.

Supomos que a modalidade de interrupção da análise pelo analisante marcará seus atos como analista. Assim o "analista do *acting-out*", ao acentuar o objeto *a* em uma encenação, faz, com seu ato, um endereçamento ao Outro para lhe devolver o objeto que lhe pertence. O analista situaria então o analisante no lugar do Outro, a quem ele dirige a mensagem cifrada de sua atuação, numa mostração de sua própria pulsão. Se o "ato analítico está à mercê do *acting-out*[22] é, a nosso ver, pelo fato de o analista estar tanto num como no outro do lado do objeto, sendo que toda diferença reside entre o *bancar* o (a) do primeiro e o *mostrar* o (a) do segundo.

Quanto à passagem ao ato, o sujeito pula fora da cena por estar de forma maximal apagado pela barra num momento de maior embaraço. O analista do lado do sujeito apagado, riscado de sua fantasia, tenderá a transformar seus atos numa passagem ao ato, situando o analisante como objeto de sua divisão, de seu embaraço. A passagem ao ato do analista se dá quando este está afetado pelo analisante. Em outros termos, quando o analista age, e não cala, a sua contratransferência.

Em ambos os casos, o analista age movido não pela certeza do ato psicanalítico, mas pela segurança que lhe garante a fantasia. "Só a segurança da fantasia poderá suprir a certeza do ato."[23]

O desejo de saber

O final da análise é contemporâneo da destituição do sujeito suposto saber. Se o sujeito, como vimos, é destituído de suas identificações e do objeto que o complementa na fantasia, ele também é desvinculado do saber. Qual o destino do saber no final da análise?

Antes da análise o recalque determina o horror de saber: "não quero nem saber do que se trata no meu sintoma". A instauração do sujeito suposto saber na entrada da análise promove a transformação de horror em amor que se dirige ao saber: a transferência. No final da análise, com a queda do sujeito suposto saber, o "parceiro se desvanece por não ser mais do que saber vão de um ser que se furta", ocorrendo então a dissipação desse amor, pois o analista perdeu *agalma*.

Por parte do analisante, o "ser do desejo reencontra o ser do saber", constituindo uma fita de Möebius onde se inscreve a falta que sustenta *agalma*.[24] Essa vinculação faz emergir o *desejo de saber*. "Não há analista, diz Lacan, a não ser se esse desejo vier a ele",[25] definindo o analista como o sujeito a quem adveio, no final da análise, o desejo de saber, que é o nome mais apropriado, mais adequado para se designar o desejo do analista.[26]

Em 1964, Lacan definia no *Seminário XI* o desejo do analista como um "desejo de obter a diferença absoluta", ou seja, de levar o sujeito a se confrontar com o significante-mestre ao qual está assujeitado ($\frac{\$}{S1} \downarrow$). Em 1974, o desejo do analista é definido como desejo de saber, que paradoxalmente é relacionado a saber ser um rebotalho, podendo o analista fazer-de-conta de (a) para um outro sujeito: condição do ato analítico.

Se não há saber do ato analítico, este não deixa de estar em relação com um saber:

1) O saber adquirido na própria análise pessoal em que o analista como analisante experimentou-se como objeto e se separou dele, esvaziando-o de gozo. E também saber relativo ao impossível a ser dito, ao impossível da relação sexual.

2) Saber adquirido do inconsciente de seu analisante que se vai depositando naquela análise específica e que poderíamos denominar como o saber que envolve as relações do sujeito com o objeto *a*. É o saber que virá ocupar da verdade, que sustenta o ato analítico, tal como está formulado no matema do discurso analítico.

$$\frac{a}{S2} \longrightarrow \frac{\$}{S1}$$

Lacan nos deixou como tarefa a investigação sobre o final de análise para tentar responder às questões:

— O que faz um sujeito, ao ter-se experimentado como objeto e se separado de seu gozo, querer bancar esse objeto para um outro sujeito?

— O que faz um sujeito após ter percebido a futilidade da suposição de saber atribuída ao Outro restituir o sujeito suposto saber no lugar de analista para um sujeito?

O passe como dispositivo não é apenas uma possibilidade de verificação de final de análise e elaboração de um saber transmissível sobre os destinos do sujeito na análise, mas um dispositivo capaz de recolher um saber novo sobre um desejo inédito: o desejo do analista.

Notas

Introdução

1. Freud, S., "O início do tratamento", *ESB* (*Edição Standard Brasileira das obras psicológicas completas de Sigmund Freud*, Rio, Imago, 1975-80), vol.XII, p.163-187.
2. Freud, S., "Frau Emmy von N.", *ESB*, vol.II, p.107.
3. Freud, S., "Esboço de psicanálise", *ESB*, vol.XXIII, p.201.
4. Donnet, J-L., "La psychanalyse et la Société psychanalytique de Paris en 1988 — Présentation à l'usage d'un lecteur profane", *Revue Française de Psychanalyse*, nº III, Paris, PUF, 1988.
5. Cf. "Les recommendations d'Edimbourg de 2/8/61" — condições para que a Société Française de Psychanalyse seja aceita como instituição-membro da IPA (uma delas sendo a exclusão de Lacan da lista dos didatas) — e "*L'excommunication*", *Ornicar?*, Paris, Navarin, 1977, p.19-21.
6. Cf. "Directive de Stockholm" (Lacan "não se conforma às recomendações de Edimburgo em sua prática analítica com os candidatos em formação"), "*L'excommunication*", *Ornicar?*, Paris, Navarin, 1977, p.81-82.
7. Jornadas de Cartéis 1975, *Lettres de l' E.F.P.* nº 18.
8. Lacan, J., "Comptes rendus d'enseignements — l'Acte psychanalytique" (1967-1968), *Ornicar?*, nº 29, Paris, Navarin, 1984.

Capítulo I – As funções das entrevistas preliminares

1. Lacan, J., "O Saber do Psicanalista" (ciclo de conferências inédito), 2 de dezembro de 1971.
2. Ver capítulo III: "Que tempo para a análise?"
3. Lacan, J., *Écrits*, Seuil, Paris, p.617.
4. Lacan, J., "Conférences et entretiens dans les universités nord-américanes", *Scilicet* nºs 6/7, Seuil, Paris, 1976, p.33.
5. *IRMA*, *Clínica Lacaniana*, textos da revista *Ornicar?* reunidos por Manuel Barros da Motta, Zahar, 1989, p.69-79.
6. Lacan, J., "Radiophonie", *Scilicet* nº 2/3, Seuil, Paris, 1970, p.89.
7. Lacan, J.,"Comptes rendus d'enseignements — l'Acte psychanalytique" (1967-1968), *Ornicar?* nº 29, Paris, Navarin, 1984, p.18.
8. Lacan, J., *Le Séminaire, livre III* (1955-1956), Paris, Seuil, 1981, p.285.

9. Lacan, J., "Ouverture de la Section Clinique", *Ornicar?*, nº 9, Seuil, 1977, p.12.

10. Cf. Quinet, A., *Clínica da Psicose*, Fator, Salvador, 1990.

11. Lacan, J., "Introdução à edição alemã de um primeiro volume dos *Escritos*" (Walter Verlag), *Falo* nº 1, Salvador, Fator, 1988, p.10.

12. *Ibid.*

13. Lacan, J., *Écrits*, p.589.

14. *Ibid.*, p.315.

15. *Ibid.*, p.811.

16. *Ibid.*, p.824.

17. *Ibid.*, p.633.

18. Lacan, J., *Le Séminaire, livre XVII - L'envers de la psychanalyse*, Seuil, 1991, p.150.

19. Lacan, J., *Écrits*, p.824.

20. Lacan, J., *Le Séminaire, livre III*, Seuil, 1981, p.191-192 e 283.

21. Freud, S., "Fragmento de análise de um caso de histeria", *ESB*, vol.VII, p.26.

22. Cf. Freud, S., "Rascunho K", *ESB*, vol.I.

23. Lacan, J., "Proposition du 9 octobre de 1967 sur le psychanalyste de l'Ecole", *Scilicet* nº 1, Seuil, 1968, p.14-30.

24. Miller, J-A., "Entrada em análise", *Falo* nº 2, Fator, 1988.

25. Lacan, J., "La méprise du sujet supposé savoir", *Scilicet* nº 1, Seuil, 1968, p.39.

26. Lacan, J., "Proposition", *op.cit.*

27. Lacan, J., "Le savoir du psychanalyste" (ciclo de conferências inédito).

28. Platão, *O Banquete*, tradução do Prof. J. Cavalcante de Souza, Editora Bertrand Brasil S.A. (5ª Edição), R.J., 1989.

29. Lacan, J., "Radiophonie", *Scilicet* 2/3, p.89.

30. Lacan, J., *Écrits*, p.546.

31. Lacan, J., *Écrits*, p.215-226.

32. Zizek, Z., *Le plus sublime des hystériques — Hegel passe*, Point Hur Ligne, Paris, 1988, p.107. [Ed. bras.: *O mais sublime dos histéricos — Hegel com Lacan*, Zahar, Rio, 1991.].

Capítulo II — O divã ético

1. Fenichel, O., "Problèmes de technique psychanalytique", *Revue Française de Psychanalyse*, t.15, p.159-161, 1951.

2. Held, R., "Rapport Clinique sur les psychothérapies d'inspiration psychanalytique freudienne (XXIVᵉ Congrès des psychanalystes de langue romaine — PARIS, juillet 1963)", *Revue Française de Psychanalyse*, número especial, p.64-65.

3. Lacan, J., "Variantes de la cure-type", *Écrits*, p.323 e seg.

4. Donnet, J.L., "La psychanalyse et la Société Psychanalytique de Paris em 1988", *Revue Française de Psychanalyse, nº III*, 1988, p.687-700.

5. Letarte, P., "Voir ou ne pas voir... De la diversité des techniques de l'analyste dans l'entretien individuel", comunicação prévia para o Congresso dos Psicanalistas de Língua Francesa dos Países Românicos, Paris, maio 1989.

6. Lacan, J., *Écrits*, p.668.
7. *Ibid., Le Séminaire — l'Angoisse* (inédito).
8. Freud, S., "Les voies nouvelles de la thérapeutique psychanalytique", *La technique psychanalytique*, PUF, 1981, p.735.
9. Lacan, J., *Le Séminaire, livre XI*, Seuil, 1973, p.74.
10. *Ibid.*, p.245.
11. Lévy-Strauss, C., "Le sorcier et sa magie", *Anthropologie Structurale*, Plon, 1958/74, p.207.
12. Freud, S., *l'Interprétation des rêves*, PUF, 1980, p.213.
13. Hawthorne, N., *La lettre écarlate*, Gallimard.
14. Freud, S., "Conseil aux médecins sur le tratement analytique", *La technique psychanalytique*, PUF, 1981, p.69.
15. Lacan, J., *Le Séminaire — L'objet de la psychanalyse* (inédito).
16. Lacan, J., "Ouverture de la Section clinique", *Ornicar?* nº 9, 1977, p.8.

Capítulo III – Que tempo para a análise?

1. Lacan, J., "Fonction et champ de la parole et du langage", *Écrits*, Seuil, Paris, 1966.
2. Lacan, J., "La méprise du sujet supposé savoir", *Scilicet* nº 1, Seuil, 1968, p.34.
3. Lacan, J., *O Seminário, livro 1*, Zahar, 3ª ed., 1986.
4. "Pierre de rebut du pierre d'angle, notre fort est de n'avoir jamais cédé sur ce point", (nota 1965) in *Écrits*, Seuil, Paris, 1966, p.315.
5. Lacan, J., *Écrits*, p.256.
6. *Ibid.*, p.252.
7. Lacan, J., "Hamlet", *Ornicar?* nº 25, Seuil, 1982.
8. Soller, C., "O tempo em análise", *Falo* nº 1, Fator, 1987, p.81-91.
9. Lacan, J., *Écrits*, p.806-815.
10. Lacan, J., "Comptes rendus d'enseignement — l'Acte psychanalytique" (1967-1968), *Ornicar?* nº 29, 1984, p.25.
11. Lacan, J., *Écrits*, Seuil, 1966, p.801.
12. *Ibid.*, p.197-213.
13. Lacan, J., "Hamlet" (O objeto Ofélia), *Ornicar?* nº 25, Seuil, 1982.
14. Lacan, J., *Écrits*, p.314.
15. *Ibid.*, p.824.
16. *Ibid.*, p.823.
17. *Ibid.*, p.313.
18. *Ibid.*, p.315.
19. Watts, A., *O espírito do Zen*, Cultrix, São Paulo, 1988, p.78-80.
20. Suzuki, D.T., *A doutrina zen da não-mente*, Editora Pensamento, São Paulo, 1989, p.29.
21. *Ibid.*, p.47.
22. *Ibid.*, p.76.
23. Lacan, J., *Le Séminaire, livre XX*, Seuil, Paris, 1978, p.104.
24. Watts, A., *op.cit.*, p.80.
25. Capra, F., *O tao da física*, Cultrix, São Paulo, 1987, p.25.

26. Watts, *op.cit.*, p.88.
27. Suzuki, D.T., *op.cit.*, p.72.
28. Lacan, J., *Écrits*, p.316.
29. Cf. capítulo V "O ato psicanalítico e o fim de análise".
30. Lacan, J., *Écrits*, p.877.
31. Freud, S., "A dinâmica da transferência", *ESB.*, vol.XII, p.138.
32. Lacan, J., *O Seminário, livro I*, Zahar, p.51-54.
33. Lacan, J., *O Seminário, livro XX*, Zahar, p.67.

Capítulo IV – Capital e libido

1. Cleinman, B., *Capital da Libido — os EUA em M.M.*, Rio de Janeiro, Achiamé, 1982.
2. Lacan, J., *Écrits*, p.246.
3. Freud, S., "Psychologie des foules et analyse du moi", *Essais de psychanalyse*, Pbp, 1981, p.150.
4. Freud, S., "Psicanálise e teoria da libido" (verbetes de enciclopédia), *ESB*, vol.XVIII, p.297.
5. Marx, K., *Le Capital* citado in *Argent et psychanalyse* de Pierre Martin, Navarin, 1984.
6. Marx, K., *Le Capital*, livro I, 3ª seção, cap.VI, Garnier — Flammarion, p.51.
7. Naveau, P., "Marx e o sintoma", *Falo* nº 3, Salvador, jul.-dez. 88, p.112-114.
8. *Ibid.*
9. Lacan, J., "Radiophonie", *Scilicet* nº 2/3, Seuil, p.87.
10. *Ibid.*, p.72.
11. Lacan, J., "Le savoir du psychanalyste", conferências no Hospital Saint-Anne, 2/12/71 (inédito).
12. Lacan, J., *Télévision*, Paris, Seuil, 1974, p.26.
13. Freud, S., "L'homme aux rats", *Cinq psychanalyses*, Paris, PUF, 1979, p.238-239.
14. Freud, S., "Fragmento da análise de um caso de histeria" (nota acrescentada em 1923), *ESB*, vol.VII, p.40-42.
15. Freud, S., "La nervosité commune", *Introduction à la psychanalyse* (24), Pbp, p.362.
16. Lacan, J., *O Seminário, livro II*, Zahar, p.257.
17. *Ibid.*, p.256.
18. *Ibid.*, p.267.
19. *Ibid.*, *Écrits*, p.597.
20. *Ibid.*, *Écrits*, p.610.
21. *Ibid.*, *Le Séminaire — livre XI*, Seuil, 1973, p.241.

Capítulo V – O ato psicanalítico e o fim de análise

1. Lacan, J., *Le Séminaire — L'angoisse* (inédito) (5/12/62; 9/1/63; 30/1/63, 15/5/63).

2. Lacan, J. "Comptes rendus de l'enseignement — l'Acte psychanalytique", *Ornicar?* nº 29, 1984.

3. "Principes concernant l'accession au titre de psychanalyste dans l'École Freudiene de Paris" (proposition A), *Scilicet* 2/3, Seuil, Paris, 1970, p.30 e seg.

4. "Proposition du 9 octobre 1967 sur le psychanalyste de l'École", *Scilicet* l, Seuil, Paris, 1968, p.15.

5. Roudinesco, E., *Histoire de la Psychanalyse en France*, Paris, 1986, p.455. [Ed. bras.: *História da Psicanálise na França — A batalha dos cem anos,* vols. 1 e 2. Zahar, 1989/1988.]

6. Miller, J-A., "Des données sur la passe", *La lettre mensuelle (ECF)* nº 9, abril 1982, p.9.

7. "Reflexions sur l'École", *La lettre mensuelle (ECF)* nº 69, Paris, maio 1988.

8. Miller, J-A., "Introduction aux paradoxes de la passe", *Ornicar?* nº 12/13, dez. 1977, p.103-116.

9. Lacan, J., "Lettre aux italiens", *Lettre mensuelle,* nº 9, ECF, 1982.

10. *Ibid., Le Séminaire — Les non-dupes errent* (inédito), (9/4/74).

11. *Ibid.*, "Proposition... première version", *Analytica* nº 8, 1978.

12. *Ibid.* "Lettre aux italiens", *op.cit.*

13. Soler, C., Intervenção na "Tetrade", Paris, outubro 1989 (inédito).

14. Leguil, F., "La question de la fin de la cure" (conferência pronunciada em Rennes, 16/5/87).

15. Lacan, J., *Le Séminaire — L'objet de la psychanalyse* (inédito), (12/1/66).

16. Morel, G., "Trois déviations", *l'Ane* nº 42, Paris, junho 1990.

17. *Ibid., Le Séminaire — livre XI,* Seuil, Paris, p.245.

18. *Ibid.*, "Comptes rendus d'enseignements — l'Acte psycanalytique", *Ornicar?* nº 24, 1984.

19. *Ibid., Écrits,* p.774.

20. Attié, J., "La passe, constats et questions", *Ornicar?* nº 44, Navarin, 1988.

21. Tardits, Annie, "La passe du transfert à l'acte", *Actes de l'E.C.F. XII, L'acte et la répétition,* Paris, 1987.

22. Lacan, J., "Comptes rendus d'enseignements — l'Acte analytique, *op.cit,* p.23.

23. Soler, C., "L'acte analytique", *Désir et acte — Bulletin du Sécretariat de l'École de la Cause Freudienne à Anger,* outubro 1988.

24. Lacan, J., "Proposition", *op.cit.*

25. *Ibid.*, "Lettre aux italiens", *op.cit.*

26. Miller, J-A., "Le banquet des analystes", curso 1989-1990 (inédito).

Este livro é resultado de um trabalho de elaboração realizado a partir de uma série de conferências proferidas em 1989, imersas no turbilhão de entusiasmo da construção do Corte Freudiano Associação Psicanalítica (o debate público sobre a constituição desta associação de psicanalistas foi realizado no segundo semestre de 1989 em torno do Fórum de Construção do Corte Freudiano; cf. "Corte Freudiano", *Agenda de Psicanálise*, Rio de Janeiro, Relume Dumará, 1990, p.159-162). Agradeço aos amigos Maria Elisa Delacave Monteiro, Maria Anita Lima Silva e Romildo do Rego Barros pelo estímulo à publicação, bem como por sua interlocução constante e afiada; a Diana pela paciência na digitação e a Betch por ser simplesmente insubstituível.

1ª EDIÇÃO [1991] 23 reimpressões

ESTA OBRA FOI COMPOSTA POR TOPTEXTOS EDIÇÕES GRÁFICAS
EM ADOBE GARAMOND E IMPRESSA EM OFSETE PELA
GRÁFICA PAYM SOBRE PAPEL ALTA ALVURA DA SUZANO S.A.
PARA A EDITORA SCHWARCZ EM JUNHO DE 2024

A marca FSC® é a garantia de que a madeira utilizada na fabricação do papel deste livro provém de florestas que foram gerenciadas de maneira ambientalmente correta, socialmente justa e economicamente viável, além de outras fontes de origem controlada.